華岡青洲の妻

有吉佐和子著

新 潮 社 版

1917

華岡青洲の妻

一

加恵《かえ》は八歳のとき初めて於継《おつぎ》を見た。話をきかせてくれた乳母の民《たみ》に早速ねだって隣村の平山へ出かけたのは夏で、めざす家の前庭には雑草が生い繁《しげ》り、気違い茄子《なすび》の白い花々が暑苦しい緑の中で、妙に冴え冴《さざ》えと浮んで見えた。それは古ぼけた家の軒からふと外へ出て来た於継の色白な横顔と、あまりにもよく似ていた。

「ほれ、ほれ、嬢《とう》さん」

枳殻《からたち》の牆《かき》の前で、民は振返って得意そうに小鼻をひらいてみせたが、加恵は頷《うなず》くことも忘れて、庭に打水している於継の美しさに見惚《みと》れていた。

その話というのは、於継が川向うの伊都《いと》郡丁之町《ぐんちょうのまち》*の松本家から上那賀《かみなか》郡名手《ぐんなて》*の平山にある華岡《はなおか》家へ嫁いだ経緯である。温暖の紀州は殊《こと》に平野から紀ノ川沿いに北上する一帯の村邑を穏やかに豊かなものとしていたから、徳川治政の平和な時代に、草深い名手荘《なてのしょう》では、村人たちの間で長く話題になるような事件は滅多に起らなかった。その代りに、一つでも起ればこれは消えることなく口から口へ親から子へと語り継がれていく。於継が平山にきたのは宝暦《ほうれき》＊の半ば頃《ごろ》であったから、それからまだ十年そこそこしか歳月は流れていず、話は登場人物が実在しているだけに一層ことあるごとに女たちの口によって繰返され、今では名手荘内で知らない者はいない程になっている。丁之町の松本新次郎といえば、名手の妹背《いもせ》家とは家格の点でこそ較《くら》べものにならないけれども、地主である他《ほか》に藍屋《あいや》＊や染色業へも手を拡《ひろ》げてしかも堅実に取仕切っている評判の高い家であった。於継はその女《むすめ》であったが幼いときから才色の誉れが高かったのを、適齢期に到《いた》ってひどい皮膚病に冒され、松本家では金にあかして医者に診《み》せたが彼らは悉《ことごと》く匙《さじ》を投げた。ところがその話を聞いた華岡直道《なおみち》が紀ノ川を渡って松本家の門を叩《たた》き、必ず治癒《ちゆ》してみせるがその暁には於継を自分に娶《めと》らせてほしいと云《い》ったものだ。松本家としては、あまり評判はきかない田舎医者であったが藁《わら》にもすがりつきたい折柄《おりから》、直道の交換条件を鵜呑《うの》みにして治療を任せた。そして結果は、於継が貧乏医者の家に嫁入りすることになってしまったのである。

本来ならば、不治と云われた病《やまい》を全治したのであるから、それは華岡直道の名医ぶりを伝える挿話《そうわ》になる筈《はず》であったのに、そうならなかったのは、直道にかなりの大風《おおぶ》呂敷《ろしき》＊という性癖があって地元では不徳が災いし、この話も彼のためにはあまり好意をもって迎えられなかったのと、もう一つには物語の女主人公として於継が話以上に美しく賢かったからであろうか。その話のおしまいには誰《だれ》でも、まあ一度於継さんを見ておいなあえ、＊それはそれは美《う》っついおひとやえ、と云って結ぶのが常であり、そうすると聞き手は忽《たちま》ち興味を釣上《つりあ》げられて平山まで出かけてしまい、加恵と同じように、実物が想像以上に美しいのに一驚するのであった。

そのとき加恵は八歳だったが、於継はたしか三十そこそこで、その頃の常識では女の盛りを過ぎた年齢であったのに、幼い加恵の目にも於継はそんな年齢を感じさせなかった。夏の盛りに手織《うちおり》の細かい縞木綿《しまもめん》をぴちっと着付けていて、締めた細い帯が形よかった。何よりも目の奥に残ったのは、花のように白い肌《はだ》と、一筋の後《おく》れ毛《げ》もなく今結いあげたばかりのように艶《つや》やかな丸髷《まるまげ》であった。肌の白さに強められて髪の色も一層黒々として、青い眉《まゆ》は昨日剃《そ》ったばかりの新妻のように鮮やかで初々《ういうい》しくさえ見えたのを、加恵ははっきりと覚えている。決して早熟な娘ではなかったのにこんなことを記憶しているのは、それだけ於継が見事だったからだろう。

その日であったか、翌日であったか、加恵は母親にこのことを告げた。悪いことをしたわけではないから隠す必要はなかったし、それに誰かに云わなければ胸に溢《あふ》れている感動のようなものが治まらなかった。母親は頷きながら娘の話をきいて、於継の美しさには充分同感を示した上で、こんな言葉をつけ加えた。

「美《う》っついこともさりながら、賢い女《おなご》やというて誰でも褒《ほ》めんものはないのやして。どのように賢いのやら知らぬけれども、知るひとは皆が皆そない云いなさるえ」

加恵の感動はこのときから憧憬《どうけい》を育て始めた。あれだけ美しい上に、誰もが褒めるというほど賢いのだ。女として、これ以上に理想の在りかたがあるだろうか。加恵の幼い胸の中で於継を崇高なものとしてあがめ尊ぶ気持は信仰に似て齢《とし》とともにふくらんでいった。何分にも幼くて、まだ娘心の生れない以前に受けた感動であったから、加恵は同性の妬《ねた》み心や、自分が決して並外れた美しさも聡明《そうめい》さも持っていないというひけめも覚えることなく、素直に、だから一層烈《はげ》しく於継を慕っていた。

平山は隣村といっても、市場村の妹背佐次兵衛《さじべえ》の女《むすめ》であった加恵には、それ以後於継を見る機会は滅多になかった。それというのも妹背家は近郷の地士頭《じざむらいがしら》*と大庄屋《おおじょうや》*を代々勤めている名門であり、藩主が伊勢路《いせじ》へ往復するときの宿と定められていたので、通称を名手本陣*と呼ばれるほどの家柄《いえがら》だったから、士分の娘が百姓娘のように畝《あぜ》道《みち》を駈《か》けまわるような真似《まね》は許されていなかったからである。それでも妹背家の家風は堅実で、加恵は読み書きの他に裁縫も掃除の作法も厳しく躾《しつ》けられた。祝儀《しゅうぎ》*不祝儀の客寄せには台所の手伝いも子供の頃からさせられていた。佐次兵衛も派手な性格ではなかったし、母親は嫁にきてすぐ稽古事《けいこごと》*はほどほどでいいと気がついたという自分の経験からも、加恵には実際的な教養を積ませようとしたのである。本陣を承っているときには、一品でも娘の手料理を紀州藩主の膳《ぜん》に供させてもらうのが、佐次兵衛夫妻の後の自慢になった。葵《あおい》の御紋のついた膳部を捧《ささ》げて殿さまに御給仕するのも、十四歳を過ぎてからは加恵の役目であった。

そういう格別の家にいたから、於継を見かける機会はなかったけれども、於継の夫である華岡直道が妹背家に現われるときには、加恵は用もないのに祖父の部屋に見舞顔で出かけていった。加恵自身は風邪《かぜ》もひいた覚えがないほど丈夫だったから、家の中に病人がでたときでなければ医者の顔を見ることがない。佐次兵衛に家督《かとく》*を譲って隠居している加恵の祖父は、高齢のために屢々《しばしば》寝こんでは医者の世話になった。わざわざ平山まで直道を呼びにやらなくても市場村の中にもっと評判のいい医者がいたのだが、隠居は閑《ひま》を持てあましていて半分は直道の法螺吹話《ほらふきばなし》も聞きたくて彼を贔屓《ひいき》にしていたのである。だから他の者が病気のときには市場村の医者が呼ばれるのであった。加恵の祖父以外のもので直道に脈を見せた者はいない。それでなくても直道の本業は外科であった。加恵はかつて医者に興味を持ったことがなかったから、直道が家に出入りしていることも、民の口から物語をきいて初めて気がつき、於継の姿を見て帰ってからは、今度は於継の夫というひとを見たいと希《ねが》って祖父が躰《からだ》具合を悪くするのを心待ちにしていた。夏のうちは隠居は元気で、加恵が様子を見に行くと鯉《こい》の洗い*などをまばらな歯を見せながらぴちゃぴちゃと舌を鳴らしながら食べていたり、なかなか病気になる気配はなくて孫娘を落胆させた。しかし寒がりの隠居は冬になると寝ていたい口実に病気を装い、すると本当に風邪をひいたり頭痛が起きたりした。華岡直道はそういうとき、自ら薬籠《やくろう》*を担《かつ》いで悠々《ゆうゆう》と妹背家の玄関に現われるのであった。

加恵はしかし待ちに待った華岡直道を見たときは、これが於継の夫かといたく失望した。一筋の乱れもなく結いあげていた於継の丸髷とは対照的に、直道の髪は久しく櫛《くし》の歯が通ったとは見えなかった。肌は酒灼《や》けして赭《あか》く、大きな唇《くちびる》は上下とも厚く、逞《たくま》しい歯は乱杭《らんぐい》*で、あの於継と連ねて考えるには直道は醜く、そして言動に到ってはもう加恵がどういう期待をかけようもないほど粗野であった。大きな桐《きり》の紋付を彼は常用していたが、夜はそのまま寝てしまうのではないかと疑われるほど、それはよれよれで古びて穢《きた》なく、もう幾年も水を通したとは見えず、つまり紋服*の態《てい》をなしていなかった。あの鮮やかな縞木綿を仕立おろしのようにぴんと着付けていた於継が、どうしてこういう夫を持っているのかと、加恵は殆《ほとん》ど当惑した。二人を繋《つな》げて考えることは幼い娘には難かしかった。

直道の声は大きく割れていて、妹背家の隠居の脈をとるかとらぬうちに世間話を始めていた。世間といっても彼には名手荘などは眼中にないらしく、いつも天下国家の趨勢《すうせい》を論じるのである。隠居もかなりそういう話は好きで、紀州徳川家代々などを論じると深更*に及んでも終らないところがあるのだが、それでも古い話は繰返しがきかなくなるのに、直道の話は今日ただいまの天下の趨勢を新しく知識を仕入れてきては喋《しゃべ》るのだから、話好きの隠居を圧していた。もっとも新しい知識といっても、江戸から遥《はる》かに遠い紀州の、それも片田舎で、あまりはやっていない医家の彼の許《もと》に風聞のように伝えられるのは四、五年も昔の出来事であったが、激情家の直道はそれを自分で昨日見てきたように感情を移して話すことができた。隠居は充分心得ているから適当に割引いて聴いている。

「儂《わし》は断言しますが医学に於《おい》て必ず我が国にも蘭方《らんぽう》*の時代がきます。これは私が大坂の修業時代に師事した岩永蕃玄《いわながばんげん》先生の口癖やったが、その南蛮流*を学んだ儂はこの時代を自分の脈で摑《つか》むことができますのや。江戸では山脇東洋《やまわきとうよう》*先生が刑死体*を解剖して以来、今は杉田玄白《すぎたげんぱく》*先生が蘭方を提唱しておられます。脈一つで推しはかる漢方*と違《ちご》うて、これは人間の躰を隅々《すみずみ》まで念入りに調べますのや。人体は造化の妙*、指一本にも血と肉と骨の他に様々な体液が流れ神経が通っておる。それを綿密に診《み》てこそ診察《みたて》と云えますのや。医者に名人はござらん、人体悉く解き明かされれば病には正しい処方があるだけですよってにのう。公儀*もそれを認めて医術の吸収に本腰を入れるようになっているのは、まことに喜ばしいことです。和蘭陀《オランダ》よりほうるという名医やほんとのう先生が来られてからも、何年になりますか」

直道自身は病人の脈一つろくに診ずに喋っているのであったが、どういう話も末はといえば、

「左様、ほうる先生が来られたのは、後で知れば雲平《うんぺい》の生れた宝暦十年でしたのう。後でそれを知ったとき、儂は確信を持ちましたのや。秋たけなわの十月二十三日ですわ、晴れ上っていた空が俄《にわ》かにかき曇って、やがて眼《め》も眩《くら》む稲妻が黒い空を裂いては凄《すさ》まじい雷《いかずち》を落す。雲平はその最中に生れましたんや。儂はこの腕で取上げて、気がつけばいつか空は明け、鳥が高く飛んでいる。これは麒麟児《きりんじ》*が生れたのだと儂は大声で叫びましたわ。ほうる先生も日本へ着かれてすぐこの奇瑞《きずい》*に遭われて驚かれたことですやろ。ほうる先生の足がこの国に着いたとき、同時に震《しん》も生れ出た。これは間違いのないことやと思いますわ。儂はその日の天気を記念に残すため、震と名付けてすぐ通り名は雲平と定《き》めたのです。ええ名前でしょうがの。雲平は必ず将来は新しい空をひらくに違いないのですわ」

と息子自慢に終るのであった。

加恵にはこの行儀の悪い直道の、齢より更に老けて見える風態《ふうてい》から、彼を精力旺盛《おうせい》な老人と思いこんでしまって、そういう子供自身もそぐわないものに聞いた。於継と直道は十四歳の齢のひらきがあったのだけれども、妻が齢より若く見え、夫が齢よりふけて見えるためにいよいよそのひらきは大きなものとなって、どう考えても加恵には於継がこの男の妻だとは思えない。

直道は妹背家を訪れるごとに様々な話をして、最後は必ず雲平の自慢で結んで帰るのであったが、その自慢話というのは、自慢の種になるのが不思議なほど愚にもつかない事柄が多く、要するに野心満々の直道が子供にかけた期待がいかに大きいかを示すにとどまっていた。だから加恵は直道の話を幾度きいても彼の息子に格別の興味を寄せることはなかった。それでも加恵は直道が来ると気懸《きが》かりで隠居の部屋へ顔を出したくなる。直道は滅多に自分の口から妻の話をすることはなかった。あの話は彼が吹聴《ふいちょう》しなくてもすでに有名であったし、男というものは妻の存在を語りたがらないという通性*を持っていて、直道もその点では例外ではなかったのだろう。加恵は於継に縁ある者として直道を迎える気持を持ちながら、いつも期待を裏切られ失望していた。

二

祖父が亡《な》くなったとき、加恵《かえ》はもう十八歳になっていた。医者好きだったが斃《たお》れるまで実は元気だった老人は、死ぬときも脳溢血《のういっけつ》で潔《いさぎよ》く死んでしまい、医者の手に長くかかることはなかった。倒れたとき妹背《いもせ》家がまっ先に呼びにやったのは直道《なおみち》ではなくて、妹背家に代々出入りしている他の医者であり、すでにこと切れている隠居にはほどこす手当てもなかった。もう十年も昔から佐次兵衛《さじべえ》に家督を譲っていたので、急逝《きゅうせい》とはいっても何の不都合もおこらず、病みつきもしなかったから、ひとびとは極楽往生*だと噂《うわさ》しあった。前の大庄屋の死であったから、葬儀は盛大なものになり、名手荘《なてのしょう》一帯のひとびとが揃《そろ》って焼香に来て門前に列をなした。

妹背家の家の中は人を喪《うしな》った悲しみよりも多くの弔問客*を迎える準備で忙しく、手助けの男女がごった返していて、それは決して陰気な光景ではなかった。加恵はもう充分に人の死を悼《いた》むことは知っている年齢に達していたのだけれども、祖父の死はまことに呆気《あっけ》なく悲哀に乏しいものだったので、その直後に始まった賑《にぎ》わいの方にやはり気をとられて、しみじみとした悲しみを悲しむには間があるようであった。加恵は絹の喪服を着て、髪型は念入りに結い上げていた。適齢期の娘を人目に多くさらす機会に、親の配慮があったのである。そうして彼女は親しい客の応接に母の後に従って歩き、焼香にきた村人には控えめに会釈《えしやく》していた。

加恵が於継《おつぎ》を見たのはこのときが二度目である。直道の方は通夜《つや》からずっと奥にきて酒を飲み続けていた。家には帰っていない様子であった。だがむろん於継は夫を迎えにきたのではなく、紬《つむぎ》の紋服に朱房《しゆぶさ》の数珠《じゆず》を持ち、焼香の客の群れの中に立っていた。於継の喪服姿は、弔問のひとびとの中で水際立《みずぎわだ》って美しく見えた。それはまるで来迎之図《らいごうのず》*の中の菩薩《ぼさつ》*であった。於継の全身から瑠璃《るり》色の光が射《さ》しているように加恵には見えた。加恵の視線は吸い寄せられたまま動かずに於継を見守っていた。

於継に見惚《みと》れていたのは加恵ばかりではなかった筈《はず》である。村祭りなどの集《つど》いにも於継は滅多に姿を見せなかったから、ひとびとは妹背家の葬礼の中で彼女を見かけるとすぐに例の物語を思い出し、指折り数えてそれがもう二十年以上も昔のことだと気がつくと改めて於継の若さに衝《う》たれた。もう七人もの子供を産んで、普通ならばそうして四十の峠を越せば世帯繰りに疲れて肌《はだ》も煤《すす》け、躰《からだ》つきも萎《しぼ》むか弛《ゆる》むかして醜くなってくるものであるのに、於継は実際より十年は若く見えたし、喪服を着て面伏《おもぶ》せにしている横顔は凜《りん》として気品を湛《たた》えていた。於継の姿に瑠璃色の光背*を感じたのは加恵ばかりではなかった。

そういうひとびとの視線を於継は意識しているのかどうか。おそらくひとびとの驚嘆する声や視線は於継の若さ美しさを保つためには大層効果的な養分になっていたのであろうし、於継は顔は伏せていても胸を張ってそれらのものを全身に受ける構えをしていたのに違いなかったが、加恵にそこまで考える智恵《ちえ》はなかった。彼女は幼い日の記憶が、喪服を身に纏《まと》いながら彼女が育てていた以上に美しく冴《さ》えわたって再び目の前に立現われたのを、息を吞《の》んで見守っていた。

一般の弔問客は家に上ることを許されず、棺も見えない庭先《かどさき》に用意してある焼香台の前で合掌することになっていた。華岡直道は故人が贔屓《ひいき》にした医者だというので奥へ通されていたが、その妻まで招じ上げる者は誰《だれ》もいなかったし、それはこの場合当然のことである。加恵も於継を呼び入れることは思いつかなかった。仮に於継は家内に入れるべきひとであったとしても、そのときの加恵にそんなことを思いつく余裕はなかった。加恵は呼吸をすることさえ忘れて、目の前を静かに歩いている美しい女を見守っていた。

於継の着ていた喪服は白足袋から草履にいたる一揃《ひとそろ》えまで、おそらくは嫁にくるとき実家の松本家が整えたものであったのだろう。妹背家の小作人やその家族たち、いや近隣のひとびとの誰よりも於継の身につけているものは段違いに上質で、しかも日《ひ》頃《ごろ》よほどまめに手入れしているのか古いものとは見えなかった。紬を着ているのは身分をわきまえてのことであろうし、華岡は格の低い家だから光る絹を着る機会はないと心得て、そういう紋付を用意していたのかもしれない。しかしさすがに染色なども業としている松本家の支度だけに、喪服の色は深くて見事であった。それにしても、衿《えり》の抜き具合といい、合わせ具合といい、帯の形から締め具合といい、於継には寸分の隙《すき》もなかった。焼香台の前に来て深く一礼すると、きりっと結上げた髷《まげ》にかけた浅《あさ》葱《ぎ》*色の手がらがはっとするほど鮮やかに美しかった。焼香する指先、数珠を幽《かす》かに揉《も》んで合掌する指の形のすんなりとしなやかなのを見て、美しいひとは髪の毛一筋、指の爪《つめ》の形までも美しく生れついているものかと、加恵は心の中で感嘆した。しかも於継はただ美しいだけではなかった。その気品ある物腰は噂《うわさ》に違《たが》わない賢さを見ているものに感じさせた。焼香を終った於継は棺が安置されている母屋《おもや》の方に向って深々と頭を下げると、門礼《もんれい》*に立っている妹背家遠縁の者たち一人ひとりに目を止めて丁寧に挨拶《あいさつ》をした。門礼の後に立っていた加恵は、まさか自分にまで於継が気付くとは思わなかったので、彼女の視線がぴたりと自分の眉間《みけん》に据《す》えられたときは、小太刀*の先を当てられたように緊張し身動きもできなかった。於継の表情には弔意を表わす愁傷*の翳《かげ》りがあって、整った顔立ちはその奥で慎み深く、加恵の心中に気付いた風もなくて挨拶を終えると、やがて躰を返して出口へ向った。帯の下の背縫が、まるで絹糸に錘《おもり》をつけて垂らしたようにぴんと一本の直線になっているのが見えた。その絹糸は歩く足に揺ぎもせず遠ざかった。

三

於継《おつぎ》が妹背《いもせ》家に現われたのは、それから三年後の晩春である。加恵《かえ》は奥にいたが、於継が書見の間で*佐次兵衛《さじべえ》と何か話しているというので、すぐにも於継の傍《そば》へ行ってみたいと思ったが、書見の間は大庄屋をしている佐次兵衛がその事務を執るところで家人は寄りつけないことになっていたから、女中から様子をきくこともできなかった。乳母の民《たみ》は加恵が近頃《ちかごろ》夢中になっている絽刺《ろざ》*しの糸を繰りに出しに出かけていて、*帰りはいつになるか分らない。加恵は残念だったが、そういうときに自分で才覚しようとするような娘ではなかった。いずれ明日にでも父親にどんな話があったのか、それとなく聞いてみようと、加恵はまさか自分に関係のある話とは思わなかったから、それだけ刺繍《ししゅう》に熱中していた。

妹背佐次兵衛も於継が何の用で来たのかという想像もつかめないままに、折柄《おりから》手も空《す》いていたので書見の間に招じ入れた。父親が亡《な》くなって三年目といえば、息子が最も淋《さび》しさを感じる頃である。佐次兵衛も例外ではなかった。彼自身はあまり信を置いていない医者ではあったけれども、華岡直道《はなおかなおみち》は佐次兵衛の父の死後ふっつりと姿を見せていない。今になると親と親しんだ者は総《すべ》て懐《なつ》かしい。於継が突然のように現われたのを訝《いぶか》しく思いもせずに、佐次兵衛は愛想《あいそ》よく自分から話しかけた。

「直道さんは達者かのう」

於継は軽く頭を下げて答えた。

「大旦那《おおだんな》さんが亡くなられてから主人も気落ちしたものと見え、めっきり年をとりましてのし。それで今日は私が名代《みようだい》*で伺《うかが》いました」

「それは御丁寧なことや。してまた何の用事よ」

「こちらの加恵さまを手前どもの震《しん》に頂きたく、まかりこしましてござります」

佐次兵衛は驚いた。冗談ではない。妹背家はもと斎部《いむべ》氏より出て、丹生谷《にうだに》*の谷城に城を構えていた豪族の裔《すえ》なのである。今でも紀ノ川の五条*から河口までの川沿い地域の収税警備裁判の権利を委《ゆだ》ねられている禄高《ろくだか》百二十石の地士《じざむらい》*なのだ。邸《やしき》にしても千坪余の敷地に藩主の本陣宿も擁《よう》している。何を血迷って出入りの貧乏医者と盃《さかずき》を交わし縁戚《えんせき》固めをしなければならないというのか。

「これは思いもかけん話やのう」

佐次兵衛は苦笑しながら答えた。暗に釣合《つりあ》う縁談ではないことを悟らせるつもりだったが、於継は胸を張ったまま恥じらいも見せず、加恵を華岡の家に迎えたい理由を述べ始めた。直道の饒舌《じょうぜつ》にはおよそ似ていなかったが、短い言葉は鋭く要点を衝《つ》いて無駄《むだ》がない。佐次兵衛は於継の気魄《きはく》に抑えられて終りまで聴いてしまった。

それは医《い》家《か》に嫁《か》する女の条件とでもいうべきものであった。第一に身体強健であること。第二に気丈であること。人間の発病に時間の斟酌《しんしゃく》はないから、夜半といわず未明といわず医者は需《もと》められれば直ちに応じなければならないが、妻は脈をとる心得はなくても夫と気脈を通じて、*疲れて戻《もど》るまで必ず起きて待つべきである。いつどんな怪我人《けがにん》や悪疾患者が担《かつ》ぎこまれてくるか分らないが、血を見ても膿《うみ》を見ても驚くようでは医者の妻は勤まらない。人手の足りないときには、血を洗い膿を吸うほどの勇気がなくてはならない。

於継は云《い》った。

「苗を植え育て秋には刈入れる単調な農事を業とする家の女《おなご》では、この激しい生活に従えるものやござりません。婚家の家風に従うというてもまるで素養のない者に望むのは無理でございますよってにのし」

更に云った。

「商家の女も医者の妻には不向きやしてよし。医者には算盤《そろばん》がないのですよってに。病《やまい》は貧富の別なく襲いかかり、患者が金を払えんことも決して珍しくはないのですが、そこに計算高い者がいては仁術*に従うものの心に影を落しますよってに」

更に云った。

「ものを工《つく》る家業には人を動かす才覚が家中に盈《み》ちているものですけれども、医家は門弟が殖えたところでこれを動かして利をとるところとは違いますよってに。それにまた患家先の機嫌《きげん》をとるようでは医家の嫁としては困りものやしてよし」

於継の論法によれば、およそ医術を志す者と生涯《しょうがい》を伴《とも》にするには農工商いずれの家に生い育った女も不適格で、したがって武家《ぶけ》の娘が最もふさわしいというのであった。

これだけ聞けばその思い上りだけでも許せない憎々しさを覚えるところで、事実佐次兵衛も同じことを直道が云ったのだったら、ここで堪忍袋《かんにんぶくろ》の緒を切って怒鳴りつけ、叩《たた》き出してしまっただろう。しかし女の於継にはどこか犯しがたい美しさと何かを必死に訴えかけている声の響きがあった。そして佐次兵衛の気持を読みとったように、於継は言葉を重ねたのだ。

「かように申しますのも私が農工商を兼ねた家より華岡へ嫁して、我が身が医家にふさわしからぬのを身にしみて悟っているからでございますのよし。直道が大坂へ遊学し当時最新の南蛮流を学びながら今日まで稔《みの》り少なかったのは、ひとえに家内《いえうち》の私が医家の妻として到《いた》らなんだよってやと思うております。私は努め努めて今日まで来ましたけれども、所詮《しょせん》努力だけでは切拓《きりひら》けんものがあるのを、この齢《とし》してようよ気付いたんやしてよし。この春早くより雲平《うんぺい》は京都に上り、三年後には必ず何かを摑《つか》んで戻ってきますやろう。そう思うにつけ、その摑んだものを充分に育て、雲平の力を思いのたけ伸ばさせる嫁を探すのが、妻としては到らずじまいであった私が母として僅《わず》かに華岡家に果せる役目やないのかと考えたんでございますよし」

於継は続けた。

「名手《なて》本陣妹背家と手前どもでは家の比較もならず、途方もないことを不躾《ぶしつけ》にとお思いになるやもしれませんが、何とぞ加恵さんには、威風既に備わった大家に嫁して事なき生涯を送るか、陋屋《ろうおく》*を興して城を築く気構えで生きるか、その何《いず》れを選ばれるか考えて頂かしてと私が申していたとお伝え下さいまし。お堅い御家風の中でまめやかにお育ちと伺《うかご》うております加恵さんを、震の嫁にはこのひとよりないと見込んで伺いましたのでございますよってに」

佐次兵衛は心の寛《ひろ》い人となりで女子供を相手に腹を立てる男ではなかった。その上に人をそらさない円満な人格も備えていたので、どこか押しつけがましいところのある於継の話も終りまで忍耐強く聴いてしまった。いや忍耐したのだと彼自身はそう思いこんでいた。於継に迫られてやむなく聴いたのではなく、大庄屋の勤めの一つで慈悲深く聴いてやったのだと。

「何分にも突然のお越しや。よう考えた上で御返事しますわ」

佐次兵衛は穏やかな微笑さえ浮べて於継を送り出したが、内心では少しも考える気はなく、納庄屋《おさめしょうや》*か胆煎《きもいり》にでも言伝《ことづて》してすぐ断わりを云わせるつもりであった。だから、その日の夕餉《ゆうげ》のとき、於継が来たこととその用件を妻に話したときも、彼は決して相談する気ではなかった。今日はとんでもなく可笑《おか》しいことがあったという話題の一つに口にしたまでである。笑いながら佐次兵衛は提燈《ちょうちん》に釣鐘《つりがね》の喩《たと》え*をひき、華岡直道の大風呂敷《おおぶろしき》めが女房《にょうぼう》づれ*にまで病を伝染《うつ》したらしいと云った。

「もらった病は重いというが、あの女房も何から思い詰めて気がふれたか」

妻は黙って聴いていて何とも云わずじまいだったが、佐次兵衛はもうそれでその話はすんだものと思っていた。

加恵がそのことを知ったのはその日のうちである。給仕していた女中の口から帰ってきた民が聞いて、すぐ加恵に伝えたという径路だが、こんな思いがけないことがこれまで自分の身の上に起ったことはなかったから、加恵は殆《ほと》ど顔色を変えていた。あの於継がいつどうして自分に興味を持っていたのかと加恵は驚愕《きょうがく》し、あの美しいひとに見込まれたのかと思うと激しい喜びに息も止りそうであった。しかしそれと同時に民が、佐次兵衛がどうも気乗薄らしいという話も伝えていたので、喜びは忽《たちま》ち乱れて当惑に変り、加恵はその夜一睡もできなかった。

翌日になって妹背佐次兵衛は、妻が改まった顔つきで昨夜のことはもう一度考え直して頂けないかと云い出したのに驚かされた。妻の云うには、なるほど華岡家は今でも貧しくて直道の弟子といってはただ一人、使用人も小女がただ一人、子供の多い大家内であるのに小さな家の中で暮しむきは決して楽ではない。しかし、先代までの華岡家は河内《かわち》から移住してきた他処者《よそもの》だというので、数代を経てもなお保守的な土地柄《とちがら》に溶け入ることを許されなかった。それが直道の代になってから、それも直道が於継を娶《めと》って以来というもの、松本新次郎の背景が利《き》いたのかどうか俄《にわ》かに土地者との交際を広めた。この妹背家にともかく出入りできるようになったのも、於継を家に入れてからのことなのである。

「あのお方が賢い女やということはよく耳にしましたけれども、これを見てもあのお方で家格は上げられたものと見えんことはございません。それに」

佐次兵衛の妻は考え深げに一言ずつ区切って口をきいた。

「およそこれまでの縁談で、これほど細やかな考えから加恵を望んでおくれた家はなかったように思いますが如何《いかが》ですやろか。当人を見込まれたというのは差出た云い方ながら加恵としては女の本懐とも云えましょうがのし」

意外にも妻が熱意を示したので、佐次兵衛も考え直さないわけにはいかなかった。加恵の年齢が当時の適齢期を既に過ぎている事実もまた、彼の近頃の心懸りであったからである。これまでにあった幾つかの縁談を佐次兵衛が気乗りせずに見送ったというのは、愛する娘を手放し難《がた》い親心の他《ほか》に、碌《ろく》な縁談がなかったという事実があったのを彼も想《おも》わないわけにはいかなかった。妻もまた或《ある》いは加恵が「本陣の娘」であることに気付いて、華岡家の話を取上げる気になったのではあるまいか、と佐次兵衛は考えた。

本陣の娘という身分柄には微妙な意味合が含まれていることに、佐次兵衛は迂闊《うかつ》にもごく近頃になって気がついたのである。それはもとより藩主の宿を承る名誉ある家柄の生れであることも示していたが、同時に藩主の愛を享《う》けたかもしれない女という不確かな推量も含まれていた。それは当時にあって決して不名誉なことではなかった。

藩主は紀州至上のひと*であり、しかも徳川将軍家の一族である。食事の給仕に出たのが目に止れば、娘を夜伽《よとぎ》*に侍《はべ》らすのはむしろ光栄というものであった。だが反対にその事実がなかった場合は、お目に止りようもない娘ということになって、処女であることを誇るわけにはいかなかった。豪士妹背佐次兵衛にして娘をこの逃れ難い噂《うわさ》の陥《かん》穽《せい》から救う力はなかった。光栄を得たところで側室*になるわけでもなく、いわば行きずりの慰みになった事実は掩《おお》うべくもないし、どちらにしても加恵にはなんの得もないのだ。その結果が二十一歳という今まで縁遠く妹背家の奥内で暮している。

妹背佐次兵衛は腕を拱《こまぬ》かざるを得ない。於継の論法ではないが、医家は士農工商のいずれにも属さないし、学問を土台とした人助けの職業として賤《いや》しむべき筋合はない。しかし医者の多くは豪家の次男三男が志したものであって、山林や農地から上る小作料で充分暮しの賄《まかな》えるものが別に仁術をほどこしているのであった。南朝の名門楠《くすのき》氏の一族*と華岡直道は家系自慢で吹聴《ふいちょう》して歩いているけれども、名手荘における華岡家は小百姓から半農半医になって、医術を専業とし始めたのは直道の親の代からなのである。娘をやるにはどう見てもみすぼらしすぎる。

「お前の云う通りかしらんがの、母親はよしとしても、父親の直道は問題やのう。儂《わし》はどうも松本家に談じ込んだという話からして派手で好かんわ。大病の娘を前にして掛け合《お》うたところが気に喰《く》わんのや。この家に話をもってきたのも直道の差金とは違うか。代々嫁をとるんに大きな家に目をつけるんが家風やったら儂には付き合いきれん」

と、妹背佐次兵衛は疑いを捨てきれなかったのだが、妻は徹宵《てっしょう》して考え抜いていたらしく怯《ひる》まなかった。

「それが御心配なら加恵は身一つでやるがよいかとお訊《たず》ねになったらどないでございましょうに。噂では於継さんも松本家からは身一つで来なしたということですよし。まあ着るものぐらいは揃《そろ》えなしたやろうけれども、持参金のなかった証拠にはあの古い家の造作《ぞうさく》*を弄《いら》った様子もありまへなんだがのし」

押問答に似たやりとりをしているところへ、

「御免なして」

と入ってきたのは乳母の民であった。使用人の分際で差出たことだけれども、昨夜来加恵の様子がおかしいのでいろいろ伺うてみたところ、口ではっきり云いなさらないが、心では華岡に嫁《ゆ》きたいと切《しきり》に思っておいでるようなので、注進に来たというのである。

加恵がどうして、と両親は驚いたが、こういうことは誰《だれ》もが待ちかまえていたことだから壁に耳ありというもので、と民は澄ましている。それに嬢《とう》さんかて齢頃になんなさってから久しいことでございますがのし。

「加恵は雲平を知っていたのか」

と佐次兵衛はもう色をなしている。男恋しさであればそのふしだらな心は許せない、と男親はこの種の話には平静を保ち難いのであった。

乳母は首を振って、見たこともない筈《はず》だと答えた。

「嬢《たん》さんは昨日訪ねてみえたお方に前から焦《こ》がれてなさるんでございますよし。あのようなひとから嫁と呼ばれてみたいと云うて、涙ぐんでなさるんやしてよし。一睡もしてなさらんようなで目ェまっ赤にしてなさいましてのし」

「なんで於継を知ってたんや」

「このあたりであのお方を知らん女はいてえしませんがのし。御大家から来なして貧乏に不服も見せず、他処者《たしよもん》の家を紀州になじませたというて、どなたも女の鑑《かがみ》と云うてなさいますもの。そういうお方から望まれたんはこの上ない仕合せやのにというて、もし嫁《い》けやなんだらどないしようと泣いてなさるんやしてよし」

民の言葉にはかなり誇張があるが、加恵の心を的確に摑《つか》んでいることは間違いがなかった。佐次兵衛はここに到ってすっかり狼狽《ろうばい》していた。彼は実は娘を手放したくないと思っている男親の本能が荒々しく揺さぶられたのに気がついた。妻が乳母の差出た行為を咎《とが》めもせずに、民の話に一々頷《うなず》いているのも甚《はなは》だしく気に障った。彼は躍起になって難癖をつけ始めた。

「なんであれが女の鑑よ。どこの国の嫁とりに嬶《かかあ》がまっ先かけて出向いてくるものでよ」

「家が違いすぎるよってに誤解のないようにと思いなしたんですやろ。あのひと御自身もそない仰言《おっしゃ》ってなしたやありませんかのし」

「医術ばかりが天下の重大事のように云うていたぞ。無病息災の家に来て縁起でもない」

ひとは病気にかかったときには医者に手を合わすけれども、直ってからは薬石*の効より神仏の加護をありがたがる。医者の働きはきれいに忘れてしまうのだ。まして妹背家は隠居の歿後《ぼつご》はずっと家内全部が健康に恵まれていたから、佐次兵衛には一層於継の話が誇大なものに感じられた。だが妻はすかさず、医術はいざというときやはり天下の重大事に役立つものだと云ってのけた。

佐次兵衛は次第に、女たちとこういう話題でわたり合うのが気詰りになってきていた。それというのも妻の心の奥には、彼女が妹背家に嫁して以来今日までの労苦を省みる嘆息が込められているからである。彼女は本陣の格式と斎部氏以来の伝統が深い軒の中一杯に詰っているこの家で、気が遠くなるほど長い間ずっと舅《しゆうと》姑《しゆうとめ》に仕えて生きてきた。於継の云った「威風既に備わった大家に嫁して事なき生涯を送る」という生きかたをしてきたのである。大家には代々の家霊*がどの部屋の中にも薄暗く蠢《うごめ》いていて、他家から昨日嫁にきた女には息苦しい。何もかも遠慮がちに暮さねばならないのだ。佐次兵衛の妻は、自分の嫁には同じ苦労を味わわせていながら、娘には豊かな呼吸をさせたいと願った。彼女は華岡家についてはやはり多くを知らなかったけれども、直道の性格や、その小さな家のたたずまいを考えあわせると、何か闊達《かったつ》な気風が感じられ、少なくとも加恵が呼吸困難になるようなことはあるまいと思われた。だから彼女は今、自分の半生をかけて夫に主張をしているのである。娘の幸福について語るとき母親は何ものも怖《おそ》れない。

「雲平という当の婿《むこ》さんのことは華岡先生が大の御自慢で私も幾度も伺《うかご》うてますよし。やがて天下に名だたる医者になるのやと、のし。父御《ててご》の癖はいろいろあっても、親より当人が大黒柱なのですよってに」

「阿呆《あほ》やという話を聞いたことがあるわい」

佐次兵衛はにべもなく云ってのけた。先刻からずっと彼は不機嫌なのである。

「それは私も聞いたことがありますのよし。落しものを拾うて街道筋で旅のひとが拾いに戻るまで小一日じっと待っていたとやら、村芝居がかかっても誰に誘われても出やなんだとか、山にもぐりこんで一日薪をとるでなし、ぼんやり草摘みしているとやら」

「ええ若い者のすることやないわしてよ。そんな智恵《ちえ》の足らん者に、お前は加恵をやりたいのか」

「それでも噂は貶《けな》すもあれば褒《ほ》めるもありで、その割合は半々ですがのし。寺子屋に通わせず華岡先生直々《じきじき》に読み書きを教えなしたとかで、そやから村の人らには実の力が分りませんのやろ。ひとによっては阿呆であるものか、怖ろしく利発なやと感心してなさるのも多いんです」

「ともかく、かなり妙な子やったんや」

「火のないところに煙は立たんといいますよって、噂はみんな本当かもしれませんのし」

「そうやとも」

「愚鈍と怜悧《れいり》を併《あわ》せ備えているとすれば、これは大器の相ありと見てもよろしのと違いますやろか。まして、あの賢い母御がついておいでてあれば」

佐次兵衛が言葉詰ったところへ、妻は更に重ねて彼女の結論を示した。

「先の先まで見通して加恵を望んでおくれたのかと思うと、私は有難さが先立つのやしてよし」

だが佐次兵衛は女どもの意見に従う気はなかった。彼はどうしても加恵を華岡にはやるまいと決意したくらいである。感謝で亨《う》けたいという妻の気持を切返すように、佐次兵衛は最後にこう云い出したのであった。

「しかし考えてみれば妙な話やないか」

彼はそれに思い到ると漸《よう》や《》く余裕をもって妻を顧みた。

「婿殿は京都へ遊学したばかりだ。三年の修業といったが、それは必ずそうと定《き》ま《》ったものかどうか。よしんば三年きっかりで戻ってきたとして、そのとき加恵は幾つになっていると思うのよ。二十四イやど」

まさか短期勉学中の者のところへ嫁を送り届けることなど考えていまいし、するとこれはどういうことになるのか。ただささえ加恵の年齢を気にして、今年の内には片付けなければと母親は焦《あせ》っているときなのである。佐次兵衛の決断は、こうしてもはや妻からも妨げられなくなった。思いがけず紛糾した事の始末をつけてさっぱり忘れてしまうために、彼は早速に平山村の納庄屋を呼んで妹背家の返事を伝えた。納庄屋はまるで自分の不始末のように恐縮し、早々に本陣を飛び出して行った。

だが妹背家の口上を聞いた於継は眉《まゆ》一つ動かさずに華岡家の返事を重ねて使者に持たして寄越《よこ》した。

「お許し頂けるならばこの中《じゅう》にでも嫁連れをさせて頂きますよし。それなれば医家の暮しにも馴《な》れて、雲平が帰ったときには華岡家の者となって迎えることができますやろうから却《かえ》って結構なことやしてよし。もとより仮祝言《かりしゅうげん》*をして村人にもしかるべく御《ご》披露《ひろう》させて頂きましょう」

妹背佐次兵衛夫婦はあらためて於継の賢さを思い知らされた形だった。小さな家に納まりかねるから嫁入支度もほどほどになして身一つでおいでて頂かしてほしい。という口上も添えられていたのは、まるで佐次兵衛の懸念《けねん》*を聞き知ったかと思われるほどであった。

こんな経緯があって結局妹背家と華岡家の縁組が結ばれることになったのは、最後には加恵の意志が働いたからだと云うことができる。佐次兵衛は於継がどう云おうと、もう打捨てておくつもりだったのだ。しかし間もなく彼は、娘が箸《はし》もとらなければ眠りもしないという常ならない状態になったのに驚かされた。

加恵には親に抵抗して断食《だんじき》するという作為は決してなかった。ただ生理的に食べものがまったく喉《のど》を通らなくなってしまったのである。民が心配してゆきひら*で煮こんだ粥《かゆ》などを作ったりしたが、無理に口に入れても喉もとで戻してしまう。蒲団《ふとん》に横になれば胸に何かつかえて息苦しく、眠れない。

軒の深い妹背家の家の中でぼんやり暮していた加恵の目の前に、突然光彩を放つ一筋の道を於継は拓《ひら》いて見せたのである。その道の彼方《かなた》には来迎《らいごう》の使者のように於継自身が立っていた。はっと眼醒《めざ》めて胸ときめかしたのも束《つか》の間《ま》に、その道は閉ざされてしまい、加恵は再び妹背家の奥内で薄暗く坐《すわ》っていたのであった。その閃光《せんこう》が何であったのか加恵には皆目判《わか》らない、といってよかった。ただ心も躰《からだ》も烈《はげ》しく揺さぶられて、しかも忽ちのうちに放り出されていたのである。親を恨む気持も何も起らなかった。ただ加恵はその衝撃から立直ることができなくなってしまっていた。

於継が加恵を見込んだという理由の中に加恵の健康があげられていたように、丈夫で病知らずだった加恵が俄《にわ》かに瘦《や》せやつれていく様子は、親たちを狼狽させずにはおかなかった。加恵には厳格な武家の躾《しつけ》が与えられていたのだが、深窓*の育ちは却って躰の奥に稚《おさな》さを押しこめてしまっていたのであろうか。女の生涯の最初の岐路に立って、加恵は於継の美貌《びぼう》に囚《とら》われてしまっていたのである。当の相手である雲平のことは、そのとき念頭になかった。

四

天明二年の秋、加恵《かえ》は華岡《はなおか》家に嫁いだ。妹背《いもせ》家では盛大な宴を張って娘を送り出したが、この地方の習慣に従って婚家先には家人は誰《だれ》も従わない。だから加恵は綿帽子*を冠《かぶ》って見事な花嫁衣裳《いしょう》で平山まで窓をあけた駕籠《かご》で運ばれると、ただ一人で家の中に上らなければならなかった。

於継《おつぎ》が待ちかねていたように手を取って迎え入れ、座敷までその手をひいて床の間の前に用意されてあった花嫁の座へつかせた。花婿《はなむこ》の座にいるべき雲平は京都へ出てもう半年の余になる。花婿のいない婚礼であった。後年編まれた華岡青洲《せいしゅう》の年譜の中で婚姻の年月がはっきりしていないのは、こういう事情からであろうか。しかしそれは珍しいことではあっても非難を受けることではなかった。この時代の女は家に嫁ぐのであり、華岡家の長男が必ず帰ってくるのならば留守中に迎えられても嫁の座は不安定なものではなかった。殊《こと》に加恵は姑《しゅうとめ》となるひとから懇望された嫁なのである。

花婿の座には雲平の代りに「本草綱目《ほんぞうこうもく》」という書物が置かれていた。それは雲平の祖父に当る華岡雲仙尚政がその師の許《もと》で写したという写本*である。この雲仙の代から華岡家は医を本業としたのであるから、それだけでも意味があったが、明《みん》の李時珍《りじちん》が著わした「本草綱目」は薬草全書にも等しいものであって、漢方医学のいわば聖書であった。雲仙の子直道《なおみち》、そして雲平と、三代が各頁《ページ》を指で繰って薬草の知識を吸収しようとした名残りが、古びた紙と蒼然《そうぜん》とした墨痕《ぼっこん》と、そして縁《ふち》の早くもぼろぼろになってきている表紙に浸《し》みついて見える。それは隣の座についた花嫁に、医家へ嫁いだという現実を厳しく印象づけねばやまない、強い意志を持っているようだった。

加恵は緊張していた。隣席が空いているだけでなく、蒼古《そうこ》とした書物が百年の齢《よわい》を持つ生き物のように黙って坐っているのだ。加恵はたった今送り出されてきた妹背家の賑《にぎ》わいから突然隔絶され、怖《おそ》ろしい孤独の中に突落されたような気がした。躰《からだ》を固くして、加恵は躰の芯《しん》が小刻みに震えているのを感じていた。

加恵のすぐ目の前には直道と於継が並び、その両側に雲平の弟妹が並んでいた。といっても雲平の次弟は松本家の縁故で商家へ見習に出されていたし、その下の弟は仏門に入ったばかりで、婚礼の席に連なっていたのは加恵と同年の於勝《おかつ》と小陸《こりく》以下妹二人と、当年三歳になる幼い良平の五人である。良平はそのとき於勝に抱かれて温和《おとな》しくしていた。もっとも加恵にそれらを見渡す度胸があったわけではない。真綿を紙のように薄く伸ばした綿帽子の隙間《すきま》から辛うじて見えた華岡家の人々というのがそれだけだった。

直道の弟子の良庵《りょうあん》が銚子《ちょうし》をとって、全員の前にある盃《さかずき》に冷酒を注《つ》いでまわった。於継が黙って立って加恵の綿帽子を前半分上げてくれた。加恵は朱が古びて冴《さ》えた色をしている塗盃《ぬりさかずき》の中に、盛上るように湛《たた》えられている濃い酒を見詰めて、ここから新しい生き方が始まることを思った。この酒を飲めば飲んだ瞬間から私はこのひとたちの仲間入りができるというのだろうか。それならば一念こめて飲まなければならない。

加恵はそっと盃から眼《め》を上げて正面をうかがい、やはり盃を目八分に上げてこちらを見ている於継と視線を合わした。美しい目が、この世の愛《いと》しいものを見るように微笑している。加恵は狼狽《ろうばい》した。だが、於継の眼は優しく加恵を見詰めて、大丈夫やしてよし、あなたなら大丈夫ですよし、待っていたのやしてよし、さあおあがりと囁《ささや》いているようであった。加恵は涙ぐみ、それを気取《けど》られまいとして急いで盃を口に当てた。正月の屠蘇《とそ》*以外の酒を飲むのは、このときが初めてであった。

舌の先に最初ひやりと冷たかった酒は、間もなく喉許《のどもと》を熱くなって通り過ぎた。思わずほっと息を吐き、加恵は頬《ほお》を赭《あか》らめた。まだ馴染《なじ》んでない家の中では、大きな呼吸をすることさえ慎まなければならないように思われたからである。

華岡家は予想以上につましい暮しをしていた。加恵が来た日といっても、直道の膳《ぜん》に徳利が二本並んだだけが特別で、料理も二品ばかり。今送り出されてきた妹背家の奥座敷にずらりと四十客分並べられていた、二の膳つきの本膳四つ椀《わん》に盛られた品々とは較《くら》べものにもならなかった。尾頭つきの魚さえなくて、祝いものとしては赤飯だけであった。食事の途中で於継と於勝がそれぞれ一度ずつ厨《くりや》に立っただけで、華岡家の仮祝言《かりしゅうげん》の宴は終った。

加恵にとって、それはしかし感動的な第一日であった。直道が二本の酒で酔って、敏《び》達《だつ》天皇*から始まる華岡家の系図を繰展《くりひろ》げて話すのを静かに聴きながら、加恵は妹背家の宴の空《むな》しさと、この家の充実した家風を思い較べていた。それは嫁ぐ者が出てきた家と、入った家との差であることに加恵は気がついていない。楠 正成《くすのきまさしげ》の曾祖父の弟の孫である和田五郎兵衛尉正之《ひょうえのじょうまさゆき》が、河内国《かわちのくに》石川郡中野村華岡*に住んで、以来代々華岡を姓とするようになったという件《くだり》まで、直道の家系物語が進んだところで、食事は終り、於勝と小陸が立って皆の膳を厨に下げ始めた。於勝は加恵と同年であり、小陸は二歳年下の筈《はず》であった。小姑《こじゅうと》*の働くのを手を束《つか》ねて見てもいられないので、加恵が思わず腰を浮かすと、於継が手をあげて制した。

「花嫁さんは婿さんの隣にいて、お舅《とう》さまの話の相手をしておいなさい。和田五郎正之殿から直道殿までは六代あって、話の目がもっと詰んできますのよし。私らは幾度度で覚えなければと焦《あせ》ることはありませんよし。これから幾度でも聞く折があるのやよってにのし」

直道の物語は、彼の十八番*に違いなかった。於継は笑みを含んで説明し加恵を坐り直させたが、於勝も小陸も母親と一緒に微笑していて、これから幾度でも聞く折があるという件では娘たちは俯《うつむ》いて忍び笑いを洩《も》らし、急いで膳を下げて行ってしまった。おかげで加恵は緊張感がほぐれて気が楽になった。何より於継の心遣いと優しさが新嫁の身には浸みた。

舅《しゅうと》の直道は額が随分禿《は》げ上って、総髪*はすっかり退いていた。胡麻塩頭《ごましおあたま》*と呼ばれる髪になっていて、少し歪《ゆが》んでいる小さな髷《まげ》には、身装《みなり》を構わない性格が現われていた。顔の中で眼の周囲にだけ皺《しわ》が集まっていて容貌《ようぼう》は醜い方であったが、突出た頰骨から頤《あご》にかけて、赤い肌《はだ》が艶々《つやつや》しかった。骨太の大きな躰に、木綿縞《もめんじま》*の着物を着て、羽織の紋は五三《ごさん》の桐《きり》*であった。どういうものか拳《こぶし》ほどもある大きな紋を白抜きにしてあるのが、直道が大男であるだけによけい可笑《おか》しく、滑稽《こっけい》に見えた。趣味のいい着物をきちんと着ている於継とは対照的に思われた。

直道は、少し誇大にするきらいはあったけれども話上手で、加恵はやがて面白《おもしろ》く聞き入っていた。華岡家の人となったからには、家の由緒《ゆいしょ》もよく知っておかねばならないという意識よりも、直道の話に手繰られて医家の歴史の中には並々ならぬ人間の執念が積み重ねられているのを知ったからである。

僅《わず》かな酒に直道はいよいよ勢いづいて滔々《とうとう》と弁じたてていた。酒よりも話すことに酔っているらしかった。

なんと云《い》っても医者は人の命を助けるのが役目だ。寿命で人が死んでも、医者としては他《ほか》に助けようはなかったかと考える、これが自然だ。もっとも誰もそんな顔はしてみせない。営業に差支《さしつか》えるからだ。しかし、半農半医の伝《でん》右衛《え》門尚親《もんなおちか》から数えて儂《わし》で四代目、医師専業となって雲平で三代目という華岡家に、この、しもうた、どないしても助ける法はなかったか、という口惜《くや》しさは代々積み上げられ、堆肥《たいひ》*のように黝《くろ》ずんできている筈なのだ。ひとは儂を息子自慢と嘲《あざけ》るが、儂は雲平だけ見て、彼《あれ》に才ありと云うのではない。この華岡の家は、もうそろそろ花の咲く時分どきだと確信しているからなのだ。その確信の源となるのは、今も話した通り、この華岡家代々は医業を邪《よこし》まに用いた者は一人も居ないからだ。武士の裔《すえ》が刀代りに鍬《くわ》を取るだけでは足りず、刀で弱きを守る代りに匙《さじ》で人命を救いたいと考えた。先祖の初一念*は今日まで守り通されてある。それが雲平一人の躰に噴き出ない筈はない。三男を高野《こうや》*に上らせたのは、先祖の腕の未熟や不運から死なした者の菩提《ぼだい》を葬《とむら》わせるためである。人を造るに百年の大計を以《もっ》てす、華岡家はすでに医家として百有余年を経ているのだから、その歴史が顕《あら》われるならば当然雲平に顕われる筈なのだ――。

いつか厨仕事を終えた於勝たちも戻《もど》ってきて、直道の話を静かに聞いていた。於継も、於勝も、小陸も、幼い妹たちも同じ話の繰返しを、神妙に聴き入りながら頷《うなず》いている。加恵はそれを見て、直道の確信はまた華岡家一同の確信に他ならないのを悟った。村では直道の広言を嗤《わら》いものにしているが、こうして彼の話を彼の家族たちと共に聴いてみれば、加恵はその話の中心に燦然《さんぜん》として立つ雲平が、自分の夫であることに感激しないわけにはいかなかった。なんという栄光の座に於継は加恵を招き入れたというのだろう。

直道の話は深更まで続いた。

「儂は雲平が生れる前すでに今云うたような確信を持っていたのや。賢く美しい女《おなご》を得て子を産ませねばならぬと堅く考えていたのや。於継を見込んだときは、そやから死にもの狂いやった」

加恵は、そっと於継の顔を見た。雲平の母は、別に笑いもせずに真面目《まじめ》な顔をして夫を見詰めていた。それはまるで名僧の説話に聴き入る信者の表情であった。加恵は粛然として、於継もまた加恵を得るためには、これだけのことを考えたのだろうかと思った。すると嫁入るまでにはなかった深い感動が加恵の躰の奥底から湧《わ》き上ってくるようだった。だがそれは喜びという単純なものではなかった。むしろ加恵は今日からその家系に織込まれた自分の立場に、戦《おのの》いていた。

「雲平が生れたのは丁度今から二十三年前やった」

と、直道は今までに何百回となく喋《しゃべ》ってきた話を始めていた。加恵は祖父の部屋で何度か直道のこの話はきいていたけれども、こうして華岡家の者となって聞くと耳新しいことが多いように思われた。直道もまた他家では於継の有様などはさすがに慎んで云わなかったのである。

「於継がのう、肩で息をしよってからに切なげで、儂はどうにも見ていられん。その日は朝からこの上ない上天気で、儂は薬草を干そうか干すまいか思案しながら庭を見ていた。於継が夏から文字《もじ》通りの身重で草ひきもしてエへなんだよってに薬草畠《やくそうばたけ》は毒にも薬にもならんのが繁《しげ》って、まだ夏が終らんように緑が一杯のところへ陽《ひ》がさしていた。空には雲が一つも出てなんだのを覚えてる。そやけど儂は予感があった。華岡の代継ぎが生れるんやったらこのように晴れ上った日イをおいてはなかろ、そう思うて出しかけた薬草を途中で気イ変えて小女に手伝わせてしまい始めていたのや。於継が苦しみ出してよう、額から脂汗《あぶらあせ》流して唸《うな》ってる。それ、湯を沸かせ、取上婆《とりあげばば》*を頼みに走れ、云うてるうちに俄《にわ》かに家の中はまっ暗になってしもうた。あの秋空が雨雲で掩《おお》われて地を搏《う》つように太い雨が落ちてくるわ、稲妻が黒い空を裂いて光る、雷《いかずち》が葛城山《かつらぎさん》*に落ちて地を揺がす。儂は於継を抱えてよ、しっかりせえ、しっかりせえと夢中やった。産婆《さんば》は吾《あ》が家で蚊帳《かや》の中にもぐっていたわ。その雷鳴の中で雲平を取上げたのはこの儂や。今でも覚えてるでえ、雲平はこの腕の中で暴れながら勢いのええ産《うぶ》声《ごえ》をあげたんや」

直道は仕方話《しかたばなし》*になって腕で赤児を抱えた振りをし、そのときの感動を思い出してかしばらく言葉がなかった。

「於継はそのあと七人も子オ産んだけどよ、儂が取上げたのは雲平ただひとりや。大きな産声をあげたんで男やなと思うて気がつくと、雷鳴が止《や》んだだけやない、空も何も晴上って外は嘘《うそ》のような秋日和《あきびより》や。儂はやっぱりそうやったんやと思うたで。華岡家が待っていたんはこの子やったのやとのう。震《しん》と名付けたんはこの日の天候を記念するためやった。産湯《うぶゆ》をつかわせて、ようやくやってきた産婆に後を任せて庭へ出てみると、空には何事もなかったように雲が悠々《ゆうゆう》と流れていた。呼び名の雲平は、それを見て思いついたんや。ええ名やろがのう」

幾度も繰返している間に、この物語には誇張が増したのであろうけれども、夜更《よふ》けて花嫁の座でそれを聴いている加恵には、その後で安らかな寝顔を見せて昏々《こんこん》と眠っている於継の姿が見えるようであった。夫がかくも期待していた子供を産み、狂喜して迎えている夫を見た後で、どんなに彼女は満足しただろうか。加恵は目の前で微笑を絶やさずに直道を見守っている於継を見ていた。自分の産んだ子の誕生のときの話というものは、幾度聞いても聞き飽きることがないのであろうか。於継の表情にも陶然として酔うさまが漂っていた。

「さあ、めでたく花婿さんが生れなしたところで、おひらきにしましょうかのし」*

やがて於継は巧みに直道の長話をさばいて、その夜を終らせた。

女たちの寝室である納戸《なんど》*に入って、加恵は於継の世話を受けながら化粧を落した。加恵と同い齢《どし》の於勝は、二つ齢下の小陸に手伝わせながら黙って湯を運んだ。二人ともどうしたことか母親には少しも似ていなくて、直道譲りのいかつい容姿を持っていて、しかも大層無口だった。加恵もあまり口先の如才ない方*ではなかったから、嫁入って早々の小姑たちの親切にどう挨拶《あいさつ》していいか分らなかった。それどころか妹背家では乳母の民《たみ》につききりで世話してもらうのに馴れていたから、小姑に湯を運ばせるのは恐縮というよりひどく気詰りだった。しかし勝手の分らない家の中で加恵自身でやれることは何もない。

花嫁衣裳を畳みながら、加恵は自分を産んだ母親のことを思い出していた。自分の出生のときは何一つ天変地異*に類するものは起らなかったのか、加恵は自分が生れたときの話を聞かされていないことに気がついた。しかしそれでも母親が恋しいことは変らなかった。急の婚礼だったけれども、それでも加恵の母親は念を入れて花嫁衣裳を整えたのであった。妹背家での別れの宴では親しい客たちが口々に褒《ほ》めそやしたものであったのに、この家では誰にも見事だとも美しいとも云われなかったのを、母親が知ったらどんなに悲しく思うであろうか。けれども加恵はそれを不満と思っているのではなかった。食べ物も喉を通らなくなるほど嫁ぎたかったところへ来ているのだ。独りで振袖《ふりそで》を畳みながら加恵は生家の遠くなった実感に身を浸していた。

隣の部屋で急に良平が声をあげて泣き出した。早くから眠っていたのが姉たちが寝室を出入りするので目醒《めざ》めたのだろう。

「嫁さん見るんや。嫁さん見るんやあ」

眠る前の記憶に綿帽子を冠った加恵の花嫁姿が強く灼《や》きついたのであろう。良平は姉たちのなだめるのを聞きわけずに大声で泣き喚《わめ》いた。

「よしよし、ほな嫁さんとこで、あんたも一緒に寝やしてもらいましょうかのし」

於継が云いながら良平の手をひいて入ってきた。

「さあ、兄《あに》さんの嫁さんやしてよし。良平の嫂《あね》さんやしてよし」

良平は寝巻姿になっている加恵を信じ難《がた》い目でじっと見詰めた。姉たちと違って目もとも口もとも於継にそっくりの上品な顔だちだった。加恵は部屋の中の灯油の瞬《また》きの中で当惑している良平に、どうやって自分が最前の花嫁であることを分らせたらいいかと迷った。が、思案するまでもなかった。加恵は畳みかけていた振袖を思いきりよくさばいて、良平の前に展げてみせた。

「やあ、美《う》っついのう、お母《か》さん。美っついわア」

良平は顔をひらいて無邪気に感嘆した。於継も「そうやのし」と相槌《あいづち》をうった。花嫁衣裳は、これで充分満足したと加恵は思った。

その夜、加恵は於継と一つ部屋で眠った。良平は於継の懐《ふところ》に手を入れて、しがみつくようにしてすぐ眠ってしまった。加恵は首の下に当てた枕《まくら》の木箱*を指先で撫《な》でながら、自分の夫である雲平は直道と於継のどちらによく似ているのだろうかと考えていた。乙女のままの新嫁は、美しい姑と並んで眠ることに不足を覚えるどころか、むしろ心は安らかに豊かな夢を見ようとしていた。

五

華岡《はなおか》家の中は、加恵が縁づいて後もしばらくは、加恵が来ない前と同じような段取りで明け暮れた。家内《いえうち》の使用人には小女が一人いたが、これは拭掃除《ふきそうじ》と子守りが仕事で、炊事も洗濯《せんたく》も於継《おつぎ》の指図の下で於勝《おかつ》と小陸が何事も切廻《きりまわ》している。医家の用は門弟の下村良庵《しもむらりょうあん》が当り、薬種を入れる百味簞笥《ひゃくみだんす》*などは女子供が手を触れてはならないことになっていた。掃除といっても小さな家の中で何ほどの手間もかからないし、質素な食事の支度も時間のいるものではなかった。だから起床と同時にそういう日常のきまりを女たちは手早く片付けてしまうと、於勝も小陸も北側の廊下に据《す》えてある機《はた》の前に落着いて、すぐに布を織りにかかった。この辺りで手織《うちおり》と云《い》われる綿布である。染糸は川向う丁之町《ちょうのまち》の松本家あたりから買入れるらしくて、納戸《なんど》の隅《すみ》には糸繰器も置いてある。於勝と小陸は手際《てぎわ》よく筬《おさ》*を手にすると、カラカラパターンと音を立てながら食事どきまで休みもせずに織り続けた。

加恵は最初、それらの仕事は於勝たちの嫁入支度に備えてのものだと考えていた。農家の娘たちはそうやって婚家先へ行ってから着るものの用意もし、余分の布は売って持参金にするという話を民《たみ》から聞いたことがある。それにしても絹物＊は一つも用意しなくてよいものなのだろうか、と加恵は心配になり、自分の持ってきた衣類の中から この小姑《こじゅうと》たちに頒《わ》け与えるものの心算用《こころづもり》をしていた。

だが加恵は間もなく、於勝たちが自分の為《ため》に機織りにいそしんでいるのではないことに気付いた。川向うから渡ってくる商人《あきんど》たちはこの西野山村平山にも軒毎《のきごと》に手織木綿を集めて肩に背負い、裏の葛城山《かつらぎさん》を越えて泉州堺《さかい》＊に売りに行くのである。彼らは帰り道で前に反物を渡した家々に寄って金を払ったり、代りの品物を置きにくる。そういうとき華岡家では商人たちに娘が買整えたがるような小間物類は殆《ほとん》ど頼んだことがなかった。商人たちが置いていくのは必ず金であったし、それらは於継の手許《てもと》に集められてまとまった金額まで溜《た》まると、丁之町から京都へ出る藍屋《あいや》や、京都から紀州へきた帯屋の帰りがけに商人宿まで出向いて行って、修学中の雲平の許に届けてもらうように頼むのである。

それに気がつくとすぐに加恵は於継に云わずにはいられなかった。

「私も織りますよし。機を買わせて頂かして。織り方を教えて頂かして」

於継は微笑を含んで頷《うなず》き、梭《ひ》＊の操り方や機の動かし方を丁寧に教えながら、

「急《せ》いたらあきませんで。糸がもつれますよってにのし」

いと云った。

　織機は弄《いじ》ったことがなかったけれども、手順を覚えれば縞柄《しまがら》を織るぐらいは難かしいことではなかった。加恵は小姑たちの間に入ってカラカラパターンと音をたてては、日に五寸ずつ織分が殖えて行くのを楽しみにしていた。そうして一緒に仕事を見ていると、於勝は顔つきと違って性格は母親譲りでかなり賢い女だということが分り、小陸は温和《おとな》しい一方で姉の指示通りに従順に働いていることも分ってきた。その上、於勝は機織りを通じて加恵に何かと親切を示し、姉妹のない環境で育った加恵はそれにいたく感激して一層機織りに精を出した。もともと手先は不器用ではなく、紹刺《ろざ》しなどに根を詰めるようなところがあったから、機に馴染《なじ》んでくると粗末な縞帳をひっくり返し、染糸をあれこれ並べてみて、縞の出し方に工夫をしたりして結構楽しかった。そういうところに、遊んで暮していた生活の違いが現われるのか、於勝は十年一日《いちじつ》のように藍の濃淡で変哲のない縞を織り、小陸は専《もっぱ》ら無地ものを手掛けている。加恵がいろいろ趣向を変えると、口々にその思いつきのよさを褒《ほ》めるのだけれども、二人とも加恵の真似《まね》*をしようとはしなかった。だが加恵は無邪気なもので褒められればいよいよ浮立って、買いにきた商人たちが泉州で加恵の縞が評判がいいなどと云って来ると、どうしていいか分らないほど嬉《うれ》しかった。

於継がまた商人たちと一緒になって、

「そんな育ちやなかったのに、ようやってくれますのやしてよし。雲平もええ嫁さんに来てもうて満足しますことやろ。京都ではさぞかし励んでなさるやろと思いますのよし」

と話を弾ませると、加恵はもう夜の目も寝ずに織り続けたいと思うのであった。この家に来て最初は独りになった淋《さび》しさや、どこから手を出していいか分らない情けなさがあったのだけれども、今ではまるでこの家の花形になっているような気がする。何より加恵を有頂天にさせていたのは、於継が働きものの加恵をいたく気に入っていて、出入りの者にも自慢していることであった。

「まあ見て頂かして。加恵さんがこんな縞を織りましたがのし。品のええ組合せですやろ。まあ惚《ほ》れ惚《ぼ》れしますわのし」

絽刺しなどで配色の経験を多少でも積んでいたからか、あるいは幼い頃から色物に着馴じんでいたからだろうか、加恵の縞には大胆さがあったのだろう。商人たちも於継の言葉に相槌《あいづち》は打つものの、それが玄人《くろうと》も目を瞠《みは》るように見事なものだとは思っていない。なんといってもたかが綿布なのだ。加恵もそれを知らないではない。それでも於継が喜ぶのは決して悪い気持ではなかった。加恵が憧《あこが》れているように於継もまた加恵に惚れこんでいて、だから加恵のすることならどんな些細《ささい》なことでも気に入るのであろうと思うと、加恵は一層精を出して機を織らずにはいられなかった。

彼女の機にかかる縞柄が次第にいよいよ華《はな》やかなものになってゆくのは、心の中でまだ見ぬ雲平への想《おも》いを育てているからだということは加恵にはわからない。家人の折ふしの言葉の中に雲平に関するものがあると加恵は全身を耳にして聴き入り、機に向えばしばらくそのことばかり反芻《はんすう》*していたが、そうして夫への想いを積み重ねていることには加恵は気がつかなかった。処女の躰《からだ》を持つ妻は、何事にも夢みがちであり、それは、実用向きの綿布にあれこれ縞柄を凝るのと似ていた。

京都にいる雲平から加恵宛《あて》に便りのきたことは一度もなかった。送金を受取っても一々礼状がきたためしもない。直道《なおみち》も滅多に彼の音信に接することがなく、

「たよりのないのはええたよりと云うがや。夢中で新知識を吸収するときは故郷を思い出す暇もないものよ」

と磊落《らいらく》に笑っていたが、一抹《いちまつ》の淋しさは掩《おお》うことができなかった。

直道自身も大坂に遊学した経験を持ち、田舎と違って都会の生活は勉学中といってもどれほど金のかかるものか知っていたから、患者から治療費が入れば全額を於継に手渡して、

「雲平に送れや」

と云うのが常であった。

還暦を過ぎて直道は足が急に萎《な》えて、昔のようにまめに出歩くことができなくなっていた。喋《しゃべ》れば相変らず勢いはいいのだけれども、俄《にわ》かに寄る年波に抗し難《がた》くなっていて、往診はすっかり良庵に任せてしまうほど体力を失っている。それでも南蛮流の瘍科《ようか》*を修めた彼のところには、腫物《できもの》*の治療を頼みにくる病人が絶えてしまうことはなかった。田舎医者だから内科外科の専門に関係なく風邪《かぜ》も直すし骨折も手がける。しかしひとびとはやはり彼の得手を知っていて、裂傷や怪我人《けがにん》は担《かつ》いできて直道の指示を仰ぐのである。そのたびに傷の痛みに呻《うめ》く声や、直道の荒療治を受けて泣いたり喚《わめ》いたり、薬が浸《し》みるといって苦しむ患者の声が聞えた。

加恵は嫁入りした当座はこういう声に怯《おび》えて夜中に魘《うな》されたりしたものだが、一年もすると少しは馴れてきていた。それでもまだ時折表の治療室から悲鳴が上ったりすると、びくっとして機織る手は止る。刀先で疣《いぼ》をはねたあと飛び散る鮮血や、膏《こう》薬《やく》を剝《は》がしたあとに噴き出る青い膿《うみ》などが見えるような気がするからであった。全身が瘡《かさぶた》で掩われている子供とか、何度も塗り続けている膏薬かぶれで醜く半面ひきつった女などが、玄関の上り口で順を待っていることもあり、医者の家の現実は決して美しいものではなかった。加恵は於継を見、穢《きた》ない患者を見ると、連想は嘗《かつ》て於継が病んだのを直道が治癒《ちゆ》したという例の物語に飛ぶのであったが、その度に疫病《えきびよう》*を直したのは直道の腕というより於継の本然の美貌《びぼう》が醜いものを退けてしまったのだという気がした。

家の中は切詰めるだけ切詰めて、於勝の嫁入支度も直道の晩酌《ばんしやく》も棚上《たなあ》げになり、時には薬にさえ事欠き芋粥《いもがゆ》で何日も過すような暮しをしながら、家内に陰惨な貧しさの影が見えないのは、一家をあげて京都へ出ている雲平に望みを託しているからであったが、その他《ほか》にも於継の若さ美しさというものがどのくらい家の者の力づけになっていたか分らない。直道にしても、於勝にしても、それから加恵も今は打って一丸となるような具合に雲平への奉仕に専念しているのは、現実には於継の隙《すき》のない日常の佇《たたず》まいに敬服しているからであった。送れるものは総《すべ》て雲平の学費として送らなければならないという想いは、貧しければ貧しいほど切ない願いになって、加恵さえ次第に髪を乱して機を織るように余裕をなくしているのに、於継の髪が乱れていたり常着が疲れていたりすることは一度もなかった。いつ目が醒《さ》めても於継はもう髪に櫛《くし》を当て終っていて、着物もきちっと衿《えり》の形よく着こなしていた。加恵は最初のうち姑《しゆうとめ》のそういう身じまいのこつを見極めようと思ったのだが、脱いだものは夜寝るときに必ず几帳面《きちょうめん》に寝押しするのと、朝は未明に起きてしまうのと、入浴には念入りの時間をとり、糠袋《ぬかぶくろ》*は必ずその都度新しいものを使うという以外に、姑一流の方法というものはないようであった。だがそんなことは何も於継だけがやっていることではなく、加恵にも珍しい知識ではない。ただそういうことの繰返しが於継はいかにもまめなのである。しかも立居振舞*のすべてに神経がゆきとどき、舞のように科《しぐさ》が美しいのだ。加恵には一日でもそんな真似はできるものではなかった。美しさを保つのは日常茶飯にもこのくらい緊張を必要とするものなのかと加恵は感嘆して、姑を一層自分の及びもつかないものに思った。於勝たちも思いは同じなのか、彼女たちは齢頃《としごろ》というのに娘らしく装う気はさっぱりなさそうであった。どう装ったところで母親のようにはなれないと諦《あきら》めているのかもしれない。於継が一度で使いすてた糠袋を於勝も小陸ももらってきて軒に吊《つる》して乾し、自分たち用には幾度もそれを使っていた。加恵もわざわざ自分用のものを作るのも面倒なので、いつか於継の使い古しを自分ももらって使うようになっていた。時々糠に黒砂糖がまじっていることもあり、鶯《うぐいす》の糞《ふん》か何か異様な臭気のするときもあって、於継が自分の肌《はだ》を労《いたわ》るのに並々でない手当てをしているのに気がつく。加恵は同じもので肌を磨《みが》いても於継のように美しくなれるとは思わなかったけれども、湯に入ってごしごしと荒っぽく糠袋を使っていてふとそれが於継の肌を流したものだと気がつくと、その瞬間だけ肌が白く滑らかになるような気がした。加恵は湯から上ると小姑たちに倣《なら》って小さな紅絹裂《もみぎれ》*の糠袋をよく絞り、大切に軒に吊した。

於継の身仕舞いのまめなことは本当に驚くばかりで、例えば一寸《ちょっと》そこを掃くにも髪に手拭《てぬぐい》を掛け、袖襷《そでだすき》をし、裾《すそ》を形よく端折《はしょ》ると同時に箒《ほうき》をとるという具合である。夏の日に打水するのでも、加恵がやれば自分の着ているものに必ず水をかけてしまうのに、於継は汚点《しみ》ひとつつけることがない。草むしりを思い立てば次の瞬間には浅葱《あさぎ》色の手甲《てっこう》*をつけながら庭先に出ているのであった。

加恵もときには機から降りて姑を手伝うことがあった。於継は加恵にはこの上なく優しく、実の母親よりよく気がついて何を教えてくれても行届いたし、嫁入ってからずっと夜は並んで寝ていたから、加恵の方も遠慮もなくなっていて、機織りに飽きてきたときは姑の手伝いがよい気分転換になった。草むしりといっても加恵の方はわざわざ装束をつける気はないので、そのままの姿で庭へ出て於継と並んで秋の陽《ひ》の下に蹲《うずくま》る。

家の前庭はちょっと見たところ雑草の繁《しげ》るに任せてあるようだったが、実は薬草畠《やくそうばたけ》になっていて、草むしりといっても余程注意をしないことには大切な草も引抜いてしまうことがある。加恵は於継の手許に注意して曳《ひ》いていい草と悪い草を見分けながら、医家の妻としての知識をこういう機会にも身につけようとしていた。

「この気違い茄子《なすび》は何に効きますのやろか」

「どれよし」

於継は加恵が指さした葉も茎も紫青色の猛々《たけだけ》しい野草を認めると、

「ああそれを平山では気違い茄子と云うかのし。なるほど葉の形、枝の形は茄子によう似ていますわのし。けど、川向うでは朝鮮朝顔*と云うのやして。花の形が朝顔にそっくりやよってそういうのですやろの。堤《どて》の辺りに沢山生《ようけ》えてましたわ」

と云った。

加恵は同じものでも気違い茄子と朝鮮朝顔では呼び名の品が違うと思い、恥ずかしかった。その朝鮮朝顔は夏の終りに花が落ち、後に子供の拳《こぶし》ほどの大きな紫紅色の実を突上げていた。一面に棘《とげ》があり、どんな土地にも負けないような強い生命力を示している。

「お父さんらは曼陀羅華《まんだらげ》と呼んでなさるわのし。えらい毒の強いものやから間違《まちご》うても口に入れたらいかんと注意されてますのやして。笑いが止らずに狂い死しますのやとし。気違い茄子とはうまいことつけた名アかしれませんのし。葉を乾かして煙草《たばこ》に混ぜると、喘息《ぜんそく》によう効きますのやとし。汁《しる》を傷口に塗ったりして、痛み止めにも使うてなさるようなやけれども」

　加恵は草とりを続けながら、どうしても於継を初めて見たときの記憶が突上ってくるのを我慢することができなくなった。

「初めてこのお家《うち》へ来ましたとき、この花が咲いてました。白い、綺麗《きれい》な花でした」

「いつのことですのよし、それは」

「私が八つのときでございます」

「まあ加恵さんがそんな昔にこの家に来なしたことがあったてかのし。私は覚えていませんわ。なんでですやろか」

　於継は加恵が患者の一人になって連れて来られたことがあったのかと思ったらしく、記憶のないのを訝《いぶか》しんで草とる手を止めて加恵を見詰めた。

「覗《のぞ》きに来たんやしてよし、お母《か》はん」

「覗きに」

「はい。乳母からお母はんの平山へ来なした話を聞いたので、そんな美《う》っついひとやったら見に行きたいとせがんで連れてきてもろうたんやしてよし。ご免なして」

　昔の牆覗《かきのぞ》きを思い出して、今頃その非礼を詫《わ》びたのだから、於継は楽しそうに笑い出した。加恵も屈託なく一緒に声を併《あわ》せた。

「吾《わ》が腹を痛めたでもないのにお母はんと呼ばれ、私も娘と同じように愛《いと》しと思うのですよって、その因縁は計り知れやんほど深いものなのですやろのし」

しばらくして於継がしみじみと云《い》った。加恵も深く頷きながら、ずっと前の世から二人は親子になる運命《さだめ》にあったのに違いないと思った。

六

その年も、暦に春が立つ前後から、冷たい雨が降り続いた。前の年も雨が多くて田《た》畠《はた》の作物は根から腐り、全国的な大災害があったのである。紀州は冬の暖かい国だから炉端とか置炬燵《おきごたつ》などの設備が家の中にさえ少ないのに、機《はた》は濡縁《ぬれえん》*のようなところに置いてあるので風が吹けば吹きさらしの中で織ることになる。冷たい雨から辛うじて濡れることはなかったものの、その寒さは躰《からだ》の芯《しん》が凍えるほどであった。藍《あい》のしみた加恵の指先にはアカギレができていたが、それは家伝の膏薬《こうやく》を塗って布片《ぬのきれ》で巻いてある。そのせいもあって、加恵はその日《ひ》は幾度も梭を手から落したし、手順に間誤《まご》ついて糸を切ったり朝から失敗続きだった。於勝《おかつ》も小陸も寒いことは同じ筈《はず》だと思うのに、カラカラパターンと打鳴らす機の音は平静なのである。今日の私はどうかしている、と加恵は首をかしげた。暗くて寒く、冬が終ったとは信じられない。

昼下りにもいらいらと切れた糸を繋《つな》ぐ面倒にかまけていたので、門から大きな人声がしたのにも、舅《しゅうと》の直道が表の部屋から何か云ったのだろうと思って気にもかけなかった。於勝が機織る手を止めて耳を澄まし、小陸も梭を持って腰を浮かしたのにも加恵は気がつかなかった。

「あれ、兄《あに》さんやないの。兄さんやわ」

小姑《こじゅうと》たちが浮立った声をあげて機から飛び出して行った後になって、ようやく加恵は夫であるひとの帰りを知った。

髪を撫《な》でつける間もなかった。加恵は遅ればせに玄関に顔を出し、三和土《たたき》*に立って於継《おつぎ》や妹たちに取囲まれている雲平を見た。

「お帰りなして」

「まああ達者で、ようお帰り」

「こんなに早う帰っておくれるとは思わなんだええ」

女たちの口が一斉《いっせい》に歌うようにして彼の帰りを喜んでいる中で、雲平もすぐには感動が言葉にならないのか肩に縛りつけた行李《こうり》も、右手に鷲摑《わしづか》みにしてある行李も下に置かずに立っていた。蓑《みの》の下で全身が濡《ぬ》れているらしいのに、歩くことで寒さに馴《な》れてしまったのかもしれない。

「お父《と》さんは元気かの」

「さいな、*待ちかねてなさるがのし」

それがきっかけになって雲平は家に上ることになり、

「ああ足洗いがいるわ。盥《たらい》にお湯を」

於継が云いさしてようやく加恵の居ることに気がついた。しかしその瞬間、於継はほんの少し息を呑《の》んで、まじまじと加恵を見据《みす》え、それから思い直したように笑顔を繕って雲平を見上げた。

「加恵さんやして。このひとも待っていたのえ」

雲平は頷《うなず》いて加恵をまっ直《す》ぐに見た。鋭い光を持った大きな目だった。若者らしい気遅れもなく、恥じらいもなく、雲平は強い視線を加恵に当てると、

「お」

と喉許《のどもと》から言葉にもならない声をあげた。こういう場合の初対面の夫婦がなんといって挨拶《あいさつ》すべきか雲平も知らなかったし、加恵の方はといえばすっかり動顚《どうてん》しているのだから、頭を下げるだけが精一杯で、すぐ厨《くりや》に飛び込むと湯を汲《く》む用意にかかった。土竈《どべっつい》*には湯の盈《み》ちた釜《かま》がかかっている。加恵は井戸端へ駈《か》けて行って手桶《ておけ》をとって戻《もど》

り、湯を汲むとまた井戸へ出て水を混ぜ、左手に空の盥を持って玄関へ戻った。手桶を下げている加恵に雲平は気がついた様子だったが、一緒に振返った於継は、

だが雲平は於勝の渡した手拭《てぬぐい》で足を拭《ふ》いて家の中に上ったところであった。

「ああ、もうよろしいわ、ご苦労さん」

と笑いながら云い、雲平の背を押して奥へ行ってしまった。奥には近頃《ちかごろ》すっかり足の萎《な》えた直道が殆《ほと》ど寝たきりになっている。

三和土の上に取残された加恵は、俄《にわ》かに自分ひとりが除《の》けものにされた思いに、しばらく茫然《ぼうぜん》として佇《たたず》んでいた。信じられなかった。これが待っていた夫の帰った日の出来事なのである。加恵は雲平の妻である筈だったのに、雲平は母と弟妹に取巻かれて妻の前は素通りして父親のところへ行ってしまった。加恵の用意した湯も使わずに。

加恵はのろのろと井戸端へ戻ると、手桶の湯を流しに空けた。井戸水でゆるめたのに外が寒いためか、湯はもうもうと白い湯煙を噴き上げて霖雨《りんう》*の下を流れて行った。

夕餉《ゆうげ》の用意はせめて妻の手で整えようと厨に立った加恵は、間もなくまた同じ思いの中へ閉ざされることになった。於勝と小陸が浮々して現われ、彼女たちは敬愛する兄のために彼の好物で食膳《しょくぜん》を整えようと考えていたのである。

「甘塩のすぐき*は仰山《ぎょうさん》切って出しなさいや」

「そうやのし。兄さんはすぐきが大好きなやよってにのし」

二人の小姑の会話には二十年余りの雲平との暮しの反映があり、雲平の総《すべ》てを知るもの同士の対話であった。三年前に、しかも肝腎《かんじん》の雲平の留守に嫁いできたばかりの加恵には手も足も出ない。雲平の好みの端々を加恵が知っている筈はなかった。いつもは痒《かゆ》いところに手の届くほど加恵に心遣いを見せていた於継が、この日に限って冷やかに思われるのも、加恵の心の遅れからであっただろうか。奥へ行くことならずに、加恵は厨の中でうろうろしながら、於勝や小陸の仕事の邪魔になり、次第にみじめな気持に沈んでいった。いったい自分はこの家の中で何だというのか。その疑いが頭を持ち上げ、同時に胸が切なく、今までは夫という実感の薄かった雲平が恋い焦《こ》がれて待っていた男のようで、それが無慈悲な人々によって逢《お》う瀬《せ*》を堰《せ》かれているような気がしてきた。

玄関に立っていた雲平は加恵より二歳年上だからもう二十六歳になっている筈であったが、背丈は中肉中背なのに頭が異様なほど大きく、月代《さかやき*》には旅で剃刀《かみそり》を当てる折もなかったのか剛《こわ》い毛が密生していた。太い眉《まゆ》と大きく剝《む》いた眼《め》。あの眼光。母親の於継の美貌《びぼう》は少しも伝わっていなかった。今年六つになる良平は於継に似た美しい面《おも》立《だ》ちをしているので、加恵は夫もまた面長《おもなが》で整った美男であろうかと想像していたのだが、その期待はまったく裏切られた。それにも拘《かかわ》らず、こうして孤独を噛《か》みしめていると堪《たま》らなく雲平が恋しい相手に思われてくる。夫と思いきめた以上はこれが女の道というものなのかと、加恵はそういう自分の心を不思議とは思わなかった。

その日の夕餉は賑《にぎ》やかだった。直道も久々に起きて雲平と向きあった膳の前に坐ったし、門弟の下村良庵《しもむらりようあん》と妹背米次郎《いもせよねじろう》も、京都から新知識を修めて帰郷した雲平の話を聞こうと控えていた。妹背米次郎は、加恵の実家である名手《なて》本陣の遠い縁戚《えんせき》に当り、去年の暮から直道に入門していた若者である。子供たちはもちろん、末の子の良平も行儀よく膳の前で箸《はし》をとったが、その箸で料理をとるよりも長兄の話に気をとられていた。そして雲平は、実によく喋《しやべ》った。彼の左頤《あご》の下にある大きな黒子《ほくろ》が間断なく上下に動き続けるのを加恵は目を瞠《みは》って見ていた。

「大和見立《やまとけんりゆう》先生の外科はカスパル*直系の外科学です。そやよって道具類一切は和蘭陀《オランダ》式で、儂《わし》は同じものを注文して作らせて持って帰りました。お父さんが見なしたら驚くものが多いですやろ。南蛮流ともえらく違《ちご》うています。外科学も人体の構造を詳しく知った上で、切除も切開も考え合せねばいかんというのが、大和見立先生の先代見水先生も大いに説かれたところですのや。徒《いたず》らに外科をほどこすべき箇所の現象に心を囚《とら》われたのでは、直るべきものも直らない。根本を正してこそ医も学たる値打があるというのですわ。儂が大和先生の許に通うと平行して、古方医学派*の吉益南涯《よしますなんがい》*先生に就いたのは、カスパル流の根本義*に強く共鳴したからで、しかしこういう自由な考えで大所《たいしょ》*から見た動きがとれたのも、お父さん、この田舎の村医者をしていたおかげやと思いますわ。外科と内科が専門どおりはっきり分けられるものやないということは、南蛮流外科を修学されたお父さんも風邪《かぜ》の処方をしなければならないのを見ていて、見なれていたればこそです。儂は吉益先生の自家実物実地の体験を治療の根本に置く考えにカスパル流の実技を加えてこそ、外科は完成されると考えましたんや。活物窮理、*これが儂のこれからの目標です」

「活物窮理か、うむ、なるほど」

「蘭方《らんぽう》にも漢方にも長所があると同時に欠点があります。蘭を行うものは理に密やけれども法が疎《おろそ》かになっていかん。漢方医は法に詳しいが理屈の通らんことを云うのでは蘭学者に阿呆《あほ》やと云われるのですわ。理に密にして法にも詳しくなければ、これからは一人前の医者にはなれんのです」

「まったくその通りや」

「外科に志すものは、まず内科に精通しておらんとあかんのですわ。腫物《できもの》の先を突いて膿《うみ》をとるだけが外科やないのです。内科の医者が持て余したものを処理するのが外科やないですか、儂はそない思うて学んで来ました。外科医が持っている刀は、いわば武士の刀と同じことで、理非*を正すように患者の内外をつぶさに診《み》た後で見きわめて刀を下さないかんのですから」

「よう云うたぞ、雲平」

「医方に古今なし、ただその知を致すにあり、というのが儂の考えです。人間の躰は昔も今も少しも変っとらんのですから」

「うむ」

「薬餌《やくじ》*の及ばんところ、鍼灸《しんきゅう》*の及ばんところ、そこが外科医の出る幕なんですから、お父さんから儂に伝えられた外科というものは、医者では大喜利《おおぎり》*にかまえた看板役者のようなものですわのう。男として医を志せば外科を選ぶこそ本懐*というものですわ。儂は誰《だれ》でも直せるものは直すのは当り前やと思いますし、それを直せなんだら恥辱この上もないと思う。しかし儂の目標は日本の華佗《かだ》*たらんとすることですのや」

「華佗やて。えらいものを持ち出してきたのう、雲平」

直道は自分が法螺《ほら》吹《ふ》きだと云われるのには馴れていたが、自分の息子が自分よりも大きなことを云い出したのにはかなり驚いたらしい。支那《しな》三国時代の医聖という千六百年前の名前がここで突然出たことも思いがけなかったから、ぎろりと眼を剝《む》いて問い直した。こういうときの表情は、この親子は実によく似ている。

「華佗です」

雲平は頷いて答えた。その様子は自信とも、気魄《きはく》とも見えた。

「京都で習うただけでは足らんのです。大和見立先生も、吉益先生も、新しい学問を摂取する態度は立派やし、見立て違いということも滅多にはありませなんだが、しかし華佗には遠く及びませんのや。カスパル流も古方医学も助けることのできない難病が世の中にはまだいくらもあるのですわ。例えば岩《がん》*という厄介《やっかい》なものもありますやろ。乳岩*に到《いた》っては切ることもならずといって外科医は徒らに手を束《つか》ねて見ていなければならんのです」

「うむ、あれは難かしい」

「華佗は頭蓋《ずがい》の中の腫瘍《しゅよう》も取除いて見せたし、胸半分切開いてまた縫い合せるという大手術もやっています。麻沸湯《まふっ》*で眠らせて、患者に呻《うめ》き声一つ立てさせずに手術を終ったといいます。この麻沸湯の処方も外科の記録も何一つ残っていないのは、なんともかとも残念なことですわのう。お父さんはそない思われませんか」

「そうよのう、しかし二千年から昔の話では作り話かもしれんやないか、なんせあの国の文章は大げさな形容が多いよっての」

「華佗の話が全部作り話やとは思えませんが、仮に話半分やったとしても、眠っている間に切開切除ができるものなら医者も患者もこんな楽なことはない。患者の体力も倍もちますやろが」

「そらもう倍ではきかんやろ」

「それですよ、お父さん。儂は他人がよう直さんものを直せる医者になりたいんです。それが華佗になることやと思うんですわ。問題は麻酔薬の完成にあるんやないですか。人間の躰で切れんという場所はない筈なんや。よけいなものができればそれが病源になるのやから、そのよけいなものを切れば直るにきまってあるのに、たとえば乳は女《おなご》の命やよってに切れば女は死ぬという。それで岩が取出せない、というのは、どこかが間違っているんですわ。背から剜《くりぬ》くか脇《わき》から切るか、方法は必ずある筈やと儂は思うてますのや」

「そう勇ましイに切る、切ると云いなや。患者は切らずにすます法はないかというて、外科医のところへ尋ねて来るのや」

「切って痛い思いをせいですめば、切るのを怖《おそ》ろしいとは誰も思いませんやろ」

「その方法を雲平がきわめてくれるのなら、儂も成仏《じょうぶつ》*できるというものやよ」

直道は老いていた。雲平の勢いに圧倒されてしまっていた。そこにはもう代を息子に譲った姿しかなかった。彼の喜びはどこか弱々しい笑顔に変っていて、息子の成長さえ受止めかねていた。彼は妻を振返って云った。

「のう於継よ、雲平はえらいこと云うようになったものやのう」

しかし於継は生真面目《きまじめ》に凜《りん》として答えた。

「雲平さんは昔から出来んことは云いませなんだ子やったわのし。私は雲平さんの思う通りになりますやろと信じてますのよし」

雲平は行李*の一つを開けて、カスパル流の医療器具を一つずつ取出してみせた。すぽいと。ころんめす。鋏《はさみ》型各種の剪刀《せんとう》*。ぱよねっと堅剪刀。鯨箆《こみへら》、彎測《まがりさぐり》瘡子。披針《はばり》*。めいちゃ。麻の縫糸、弓鋸《ゆみのこ》、大鉗子《かんし》、口内鏡、穿刺《せんし》針《ばり》。導尿管。吹粉器、烙鉄《らくてつ》*。次から次へ取出す雲平の手つきは、まるで宝物を扱うように慎重だった。加恵はその大きな手が、意外に長くすんなりした指を持っているのに見惚《みと》れていた。雲平の話に疲れを見せていた直道も、この新しい外科道具には身をのり出して見ずにはいられなかった。

「ほほう、ほほう。またそれは何に使う道具やろかのう」

「外套《がいとう》に溝《みぞ》がありますやろ。嚢腫《のうしゅ》*から膿をとるときに使うのですわ」

「なるほど考えてある」

「これは、和蘭陀《オランダ》の鋏ですわ。こないして使いますんや」

「切れるか」

「よう切れますでえ」

良庵も米次郎も身をのり出し、目を光らせていた。最新式の器具ばかりであった。何一つ足りないことのないように買ったのであろう、仕送りの金はいくら送ってもすぐ消えてしまったに違いない。加恵はそれらの器具の幾つかは自分の織った縞木綿《しまもめん》で購《あがな》ったのだと思うと、見たこともない器具も奇異のものとは見えず、むしろ心懐かしかった。

雲平は幾種類もの巻木綿を取出すと、米次郎の利《き》き腕をとって巻きつけてみせた。それは丈夫な天竺織《てんじくおり》*で、ただ布を様々の幅に裂いてあるだけのものだったが、雲平の指先にかかるとまるで生きもののように柔軟な動きを示し、米次郎の手首から肘《ひじ》までしっかりと掩《おお》いつくした。

「動いても外れへまいがの」

雲平が得意そうに云い、するど米次郎は手首も肘も自由に動かすことができるのに驚いて、兄弟子の良庵の前で幾度も腕を伸ばしたり折り曲げたりしてみせた。直道の南蛮流よりも明らかに精緻《せいち》な技が雲平のカスパル流外科医術にはあると見えて、良庵も師の息子を待っていた甲斐《かい》があると思ったようである。

「兄《あに》さん、その木綿なら私らも織れますわのし」

於勝が云った。

「そうよ。盛大《せいだい》＊織って作ってくれ。何本でも要るもんやよってのう」

雲平が答えると於継は目を細めて頷きながら、

「於勝も小陸も織り上手になってあるのやしてよし。この三年、京都の兄さんの学資を作るのに二人とも一所懸命やったよってにのし」

と云って、明るい笑い声をたてた。

二人とも……加恵は耳を疑っていた。雲平に送金するために機織りをしていたのは於勝と小陸だけではない、加恵も加わって三人が同じように一所懸命綿布を織っていたのだ。加恵が一反を織り上げるごとに於継はその縞目の美しさを褒《ほ》めそやし、出入りの小商人《こあきんど》にも自慢して見せたものではなかったか。それがどうして今急に加恵だけ機織りから外されてしまったのだろう。加恵は茫然とし、半ば恨みがましく於継の横顔を見ていた。

それまで一家の団欒《だんらん》の中で於継が加恵を顧みなかったことはないのに、この夜の於継はまるで首の自由がきかなくなってしまったように、加恵を振返ってみることをしない。加恵は実の娘になったつもりでいた今朝までの生活が、俄《にわ》かに遠のき始めているのを感じないわけにはいかなかった。それがどういう原因によるのか加恵には見当がつかない。加恵は狼狽《うろた》え当惑していた。

「これ見て頂かしてよ、お父さん」

最後に雲平が取出したのは一枚の紙をびっしりと墨痕《ぼっこん》で埋めたものであった。直道は書家の名をじっと見詰めてから顔を上げた。

「朝倉璞《あさくらはく》、荊山《けいざん》のことか。あの有名な儒学者の送辞*やないかい」

「そうですわ。ここのところを見て下さいや。伯行というのは儂の号ですわ」

雲平は得意そうに送辞の末尾を叩《たた》いた。

直道は声を出して読んだ。

「ここに於《おい》てその技をいささかこころみれば則《すなわ》ち匕剤《ひざい》*投ずるところ手に応じて効かざるはなし。遂《つい》に乃《すなわ》ち〝伯行を帰すなかれ。子《し》の技これを都下に施さば則《すなわ》ちその業起《た》つべし〟と曰《い》うに到る。伯行の技ここに於て得たりと謂《い》うべし。二月、伯行親の老をもって将《まさ》に帰らんとし予《よ》に言を乞《こ》う。予すなわち謂い曰うは〝子の精力人を兼ね、志を立つる鋭し。この後その技、日増しに世に伝わらんこと知るべきなり〟と。うむ」

直道は唸《うな》り声をあげながら、朝倉荊山の送辞を最初から読み直した。滅多に故郷に音信を送ることのなかった雲平の、京都での修業ぶりがそこに克明に書き綴《つづ》られていたからである。生真面目に精力的にただもう医学の新しい知識を吸収することにのみ費やした雲平の三年の歳月が、この優れた知己の筆によって描写されてあった。期待をかけて送り出した長子は、期待以上の優れた医者となって親の手許《てもと》に帰ってきているのだ。

「待っていた甲斐はあったのう、於継よ。儂はもういつなんどき死んでもええのやでえ」

雲平は笑いながら荊山の書を巻いた。

「冗談はおいて下さい、お父さん。儂はこれからが医者ですのや。学んできただけでは足りません。誰もやれん手術をやれる医者になるのは、これからの研鑽《けんさん》が必要なんです。明日からでもやってみたい実験もあり、まだまだ代を譲ってもらうつもりはありませんのや。当分は昔通りの部屋住みで、病人の脈はお父さんが取って頂かしてよ」

「いやいや儂は見る通りに老いさらばえているのや。近頃は良庵に任せきりで吾《われ》ながら心細かった。雲平が帰るまでと思うて生き伸びていただけのことやよって、もう儂の役目は終らせて貰《もら》おうかいよ。南蛮流の看板は今日限りで下げたがええ。確かにカスパル流は儂らの外科より何枚も上を行くようなや。その器具を見ただけでもよう判《わか》ってある」

直道のともすれば滅入《めい》りがちな結論を、於継の明るい笑い声が救い上げた。

「お父さんは疲れてなさるのやしてよし。この長雨では誰でもしんき＊なものやよってにのし。さあもう夜も遅いよってに、雲平さんもお寝《やす》みよし。朝になればお父さんも元気とり戻《もど》して、まだまあ代は譲られへんと云いなさることですやろ。土産話はまっと＊聴きたいけども、後は明日のことにしましょうのし」

「うむ。母さんらに土産をなんどと思うていたのやけども、残した金で、この曲剪刀を買《こ》うてしもうた。京土産が何もないので実は敷居が高かったん＊やけどのう」

「なな、それが宝で私らにも何よりの土産ですがのし。無事に帰れと念じてこそいましたが、誰が土産のことら思うてますかいの。さあさあ旅の疲れにはぐっすり眠るのが一番の薬やしてよし。カスパル流ではどない云うかしりませんけどのし。今夜はひとりで、ゆっくりおやすみ」

於継の軽口にみんなが朗らかに笑いながら、やがて居間からそれぞれの寝所へ散っていった。加恵は奥納戸《おくなんど》へ退《さが》って、於継と自分の夜の床を敷きのべながら、「今夜はひとりで」眠るようにとわざわざ云った姑《しゅうとめ》の真意がどこにあるのか、という疑いを押えることができなかった。ひとりで寝よというのは、加恵を寄せつけるなという意味なのではないか。そして於継はといえば、於勝に指図して直道と同じ表座敷に雲平の床をとらせたあと、雲平について着替えを手伝うためにその部屋まで行ったきり、一向に奥納戸へ戻ってくる気配を見せないのである。

夜のしじまの中から、於継の押えた笑い声が、冷たい床の上に正坐した加恵の耳まで伝わってきた。子供の帰ったのが嬉《うれ》しくて抑制がきかなくなっている母親の喜びには違いなかったけれども、加恵にはそれがひどく淫《みだ》りがましいものに聞えた。

加恵の心の中に思いがけず、まったく思いがけない烈《はげ》しさで、於継に対する憎悪《ぞうお》が生れたのはこのときである。その理由は、このときの加恵には分らなかった。ただ加恵が新しく発見していたのは、盃事《さかずきごと》*は済ましていても自分がこの家ではまだ他人であるという事実であった。直道と於継の間には雲平以下の子たちを儲《もう》けていて、夫婦以上の絆《きずな》*ができている。どの子も彼らの血縁であり、於勝や小陸たちは雲平と兄妹という血縁があった。加恵は、女が家に入ることの難かしさが、この断たれることのない血縁の壁の中に入ることの難かしさだということを初めて思い知らされたのであった。しかし加恵は絶望していなかった。それどころか、それまで一途《いちず》に敬愛していた於継に闘志を湧《わ》き立たせていた。それは嫉妬《しっと》という形で外に現われようとしていた。夫の母親は、妻には敵であった。独り占めを阻《はば》もうとする於継の無意識の行為もまた嫁に対する敵意に他ならなかった。

望まれた嫁と望んだ姑との綺麗《きれい》ごとの間柄《あいだがら》は、雲平の出現によって終ったのを加恵は感じていた。夢みがちに機《はた》を織っていた乙女の妻は、まだ乙女の躰《からだ》のままで既に心は現実の争い多い日々へ一歩足を踏み出していたのであった。

やがて黒い影が部屋に入って来て、いつものように手早く明日への身支度を整えると、加恵の隣の夜具に躰を伸ばした。が、於継が息をひそめて加恵の寝息を窺《うかが》っているらしいのに気付くと、加恵は闇の中で眼《め》を瞠《ひら》いて姑を直視した。於継が気のつかない筈《はず》はなかった。静かに寝返りを打って加恵に背を向けると、そのまま身動きもせずにいた。互いに隣を意識して、二人はいつまでも眠らなかった。いつまでも雲平をひとりで寝かせておきたい母と、夫婦の間に立ちはだかる姑の存在に気付いた妻とは、幽《かす》かな呼吸にも互いに心を知られまいとして気を遣い、針のように心を尖《とが》らしていた。

七

華岡直道《はなおかなおみち》は、それから半年後に逝《い》った。大言壮語*して村人を辟易《へきえき》させていた男には似合わない静かな死であった。雲平の帰りを待ちわびていて、期待通りに成長した息子を認めると、消えて行くことにもう何の未練も残らなかったのだろう。総《すべ》て喋《しやべ》りつくしていたのか遺言はなかった。

直道の葬礼が、雲平の帰郷と嫁とりの挨拶《あいさつ》も兼ねるという結果になってしまった。学資づくりに手一杯で、この三年というものは誰《だれ》一人として常着一枚新調したことがなかったのである。前年の天災は豊かな紀州にも*飢饉《ききん》を招いていた。台所が詰っているのは華岡家だけではなかった。直道の野辺送りをすませると、もう他に余裕はなかった。金のかかる客寄せで婚礼披露《ひろう》などできるものではなかったし、世の中もまたそれどころではないときであった。雨は晴れ間も見せずにじとじとと降り続け、暦の春は終っても袷《あわせ》が脱げず、黴《かび》臭い家の中で人々は青い息をしていた。

そういう有様は加恵も分っていた。だが、それにも拘《かかわ》らず加恵は、婚礼の披露をしないのには於継《おつぎ》の底意があると頑《かたく》なに信じこんでいた。あれほど望んで嫁にして、この三年は実の娘より深い因縁があるのだと云《い》いながら加恵を慈《いつく》しんできた於継が、直道の亡《な》くなる前後から俄《にわ》かに嫁のすることを疎《うと》みだした。賢い女だから口に出して嫁いびりをするわけではない。表面は何事も変っていなかった。しかし他の誰が気付かなくても、加恵には肌《はだ》を針で刺すように痛く於継の憎しみが感じられた。そして加恵も、それを口に出して云うような慎みを欠いた女ではなかった。於継が見込んだ通り、妹背《いもせ》家の地士《じざむらい》の躾《しつけ》が、どんな場合にも加恵を取乱させないのであった。

奥納戸《おくなんど》の隅《すみ》に坐《すわ》って加恵は自分の小物入れから紅絹《もみ》の端片《はぎれ》*を取出すと、四つに畳んで布を二重にした小さな袋を縫っていた。運針の目をできるだけ細かくして二寸角ほどの袋を縫い上げると裏返し、用意してあった糠《ぬか》を詰め、口を絞る。入浴用の糠袋を作っているのであった。雲平が帰った翌日から、加恵はこれまで使っていた糠袋を忌《い》み始めていた。どういうことから婢《はしため》のように於継の使い古しなどを使っていたのか加恵は自分の気持が分らなかった。最初に自分で作った糠袋を使った夜は、袋が裂けて中の糠がはみ出てくるまで激しく全身の肌を擦《こす》り、洗い流した。こうして新しいのを縫っているときにも、紅絹の赤さが見詰めている目には燃え上ってきて、三年もの間よくもああいうことに耐えていたものだと口惜《くや》しさに息が切れてくる。加恵は自分から望んで於継の使い古しを使い始めたことは思い出さなかった。ただ、有りがたがって使っていたこれまでの自分に生理的な不快を覚えていた。

袋の口を絞って糸を綴《と》じ終ったところへ、於継が急ぎ足で入ってきた。すぐ足許《あしもと》に加恵が見えるまで部屋の中に人がいるとは思わなかったらしい。はっとした様子だったが、出て行く筋はないと思い返したのか、そのまま加恵を黙殺して裏の障子をひろげてそこへ鏡を組立て始めた。於継の嫁入り道具なのであろう、時代のついた蒔絵《まきえ》*の細いかにも高価そうなものであった。鏡立てに手鏡をかけて蓋《ふた》をとると、於継は目の細い櫛《くし》の先で髪を撫《な》でつけ始めた。

身綺麗《みぎれい》にすることではおよそ手のまめな於継であった。ちょっとの隙《ひま》に鏡を見て、髪を直し、衿元《えりもと》を直し、着付けを直す。数えてみたこともなかったが、それは一日に幾度となく日によってはめまぐるしいほどである。鏡を手にとって鬢《びん》を撫でつけ、手早くしまいこんで出て行くという繰返しで、於継は乱れというものを一切《いっさい》作らない。その手早さに加恵は感嘆していた。それが今日は様子が違った。加恵に尻《しり》を向けて於継は黄楊《つげ》*の筋立て*を手にして念入りに髪を直している。額の生え際《ぎわ》の短い毛先まで油をつけ直して撫であげている。加恵はそれが於継の示威であることに気がつかないわけにはいかない。於継は明らかに加恵が部屋から出るのを待っている。一人になって着物の手入れでもしたいのだろうか。

奇妙なことであった。何一つ目に見える衝突があったわけでもないのに、この二人の女はいつの頃《ころ》からか滅多に口をきかなくなってしまっている。半年前までは、針箱を出して坐っている加恵を認めれば「何してるんよし」と於継は覗《のぞ》きこんだものだし、於継が鏡を出せば加恵はもう一つの鏡を持って背後から合せ鏡をしてみせるのが習慣になっていた。それが今では二人とも黙りこくって、どちらから先に部屋を出て行くかという根較《こんくら》べをしている。

加恵は右手に持った針を思いきり右へひいて、赤い絹糸に歯を当てて切った。それでも針箱を片付けるのを急がなかった。部屋の隅にある自分の鏡台の前に、仕上げたばかりの大ぶりな糠袋を麗々しく置くと、於継の横顔に視線を走らせ、あ、と思った。窓から入る逆光の中で於継の目許に夥《おびただ》しい小皺《こじわ》が寄っている。思いがけない発見だった。加恵は呼吸《いき》を止めて奥納戸を出た。台所から厨《くりや》の三和土《たたき》に降りたって加恵は大きく息を吐き、その勢いで玄関の土間を突っ切った。

雨は卯《う》の花を腐《くた》した後すぐ梅雨に続き、そのまま惰性のように降り続けて寒さがぬけないと思っていたのに、いつの間にか蒸し暑い夏がきていた。田植はとうの昔に終っていたが、苗は水に漬《つ》かりすぎて株もはらずに腐ろうとしている。百姓たちは二年続く凶作の予想の前で昏《くら》い表情をしているのに、庭先の雑草類は生い繁《しげ》ってすっかり夏景色であった。雨を嫌《きら》って誰も草除《くさと》りに出なかったものだから、緑は黒い庭土を隙《すき》間《ま》もなく掩《おお》いつくしていた。麦も稲も野菜も育たない長雨の中で雑草だけが伸び展《ひろ》がっているのは怖《おそ》ろしい。その中で薬草畠《やくそうばたけ》はどうなっているだろうかと、加恵は濡《ぬ》れるのをかまわずに庭に出た。こんな湿るような雨でなく激しい土砂降りになればいいのにと、加恵は激しい気持であった。紀ノ川の水はそれでなくても溢《あふ》れかけて、川沿いの村人たちを懼《おそ》れさせているときなのである。だが加恵はこの日頃の暗く湿った物想《ものおも》いが、雨のために一層粘ついたものになってくるのに腹を立てていた。湿るくらいなら濡れてしまえという思いきりが、加恵を雨に対して大胆にさせていた。薬草畠の様子を見るという思いつきが雲平の妻として相応《ふさわ》しいのに気づくと、加恵は一層精が出た。姑《しゅうとめ》や小姑《こじゅうと》たちから抑え込められているような暮しの中で、自分だけの立場や役目があると思うことで加恵は救われている。

薬草も元は野生の荒い植物だからだろうか。これは雑草よりももっと勢いよく雨を吸って伸びていた。どの草の葉も常より指を拡《ひろ》げたように猛々《たけだけ》しい展がり方をしていた。加恵は目を瞠《みは》った。花が咲いていたのだ。透き通るように白い朝顔型の花が、薬草畠の上にひらいて泳ぐように浮いていた。その数がまた夥しかった。気違い茄子《なすび》の朝鮮朝顔。秋に取り洩《も》らした実が弾《は》ぜて春には辺り一面に芽を出し、放っておくとどんどん殖える生命力の強い毒草であった。茄子に酷似した紫色の茎と葉は霧雨《きりさめ》で弱るどころか雨をまるで肥料のように吸収して、薬草畠の中でも一番勢いがよかった。そして花は、遠見にはいかにも臈《ろう》たけて美しく思われるのに、＊近く寄ってみると本物の朝顔とはおよそ似て非な強靭《きょうじん》さを、花弁ごとに屹出《きっしゅっ》＊している鋭い角《つの》で示していた。白く、勁《つよ》い。

加恵はその花に憎悪《ぞうお》を覚えていた。この家で於継を初めて見たときの想い出が抑えても抑えてもこの花を見ていれば甦《よみがえ》ってくる。於継の美しさに魅せられていた自分が口惜《くや》しく腹立たしいのであった。たった今見たばかりの醜い皺だらけの於継を想い出す。あの皺を丹念にとり繕っている姑の日頃を、加恵はこれまでとはまるで逆にいやらしい執念と見据《みす》えていた。五十歳にもなって日に幾度となく鏡に見入るのは、女の慎みというよりもどこかに淫《みだ》りがましいところがあって、加恵は許す気になれなくなっている。しかも本当に口惜しいのは、於継を見たところどこにも淫らなものを想《おも》い起させるようなことが実はないのであった。加恵は於継の身じまいの度ごとに自分の中の女を掻《か》き出されるような焦躁《しょうそう》と不快感を覚え、しかしさてそれをどうしようもないのに一層焦《じ》れている。

加恵は手を伸ばすと、やにわに白い花を摑《つか》みとった。一つ、また一つ。取ってどうするという考えはなかったのだが、苛立《いらだ》ちでじっと見ていることには耐えられなくなっていた。雨に打たれた花は冷たく、しかし加恵の掌《て》の中でかなりの手応《てごた》えを見せた。やはり勁い花なのであった。加恵は負けまいとして、なおもむしり続けた。一つ、また一つ。

「それ、なんちゅう花か知ってるんか」

不意に頭の上から声が降ってきて、加恵は両手に花を摑んだまま全身を硬くした。雲平が、いつの間にかすぐ傍《そば》に立っていたのであった。夢中になっていた加恵は気がつかなかったのだ。加恵は息を詰めて耳の奥に残っている雲平の問いを思い返し、とぎれがちの声でようやく答えた。

「曼陀羅華《まんだらげ》と、ちゃいますか、のし」

「ほほう。よう知ってたわしてよ」

加恵は単純に、緊張を解くと同時に胸を弾ませた。嬉《うれ》しかった。気違い茄子としか知らなかったのを於継の知識で補っていたことは思い出したくなかった。そして次の瞬間、大切な薬草を許しもなく摘んでいるのに気がついて加恵は顔色を変えた。

だが雲平は加恵の隣にかがみこむと、彼も手を伸ばして花を摘み始めたのだ。

「種になるまで待てやなんだよ」

と、雲平が云った。

「え」

加恵には意味が分らない。手に摑んでいる花の始末に困って身動きもならない。

「ええ折や。花で先に試してみよ。黴《かび》のこんように蔭干《かげぼ》しするにはどこがよかろかのう」

「厨の天井へ吊《つる》したらどないですやろかのし。あこは乾いてますよってに」

「うん、それがええわ」

雲平の手にみるみる白い花がたまると、加恵は自分の袂《たもと》の端を帯に挟《はさ》んで小さな袋を作った。気がついた雲平は黙って花をその中に押しこんでいる。加恵は幸福だった。雨の中で濡れていることなど考えられなかった。世の中に夫と妻である自分と二人だけしかいないような喜びが躰《からだ》の中を駈《か》けめぐる。

「乾いた布で雨を拭《ふ》いてほしわ」

「はい」

「拭いた布は捨ててよ」

「はい。この花にも毒がありますのかのし」

「烏頭《うず》*のような猛毒やないけれども用心した方がええ」

「はい」

「米次郎《よねじろう》はまだ戻《もど》らんか」

「まだ帰ってないようなやしてよし」

「帰ったらすぐ知らせてくれや」

「はい」

加恵は胸を弾ませ続けて雲平に応答していた。明るいところで二人だけの会話を交わしたのは、これが初めてだった。

加恵は駈けるようにして曼陀羅華を抱いて奥納戸へ戻った。案の定、於継は引き伸《の》しござを展げて着物を畳み直しているところであった。

「あんた、まあ。それは何よし」

濡れ鼠《ねずみ》になっている加恵と、その袖の中のものを見ると、於継は強い目をして咎《とが》めるように口を出した。

「厨の天井で干すように仰言《おつしや》ったのやしてよし」

加恵は落着いて姑に答えた。優越感に溢《あふ》れた加恵には、於継の表情がみるみる不機《ふき》嫌《げん》に変ったように見えた。押入の中から木綿の単衣《ひとえ》を出すと、加恵は音を立てて布を裂いた。雲平の仕事を手伝うのに着物の一枚ぐらい潰《つぶ》しても惜しいとは思えない。まして於継でなく加恵が直接頼まれた仕事なのだ。

「米次郎さんのまあ遅いこと」

於継が愚痴のように呟《つぶや》くのが聞えた。門弟の米次郎が家の中にいれば、そんな用事は加恵の手に与えられることは決してない筈《はず》だと云いたげな口ぶりである。加恵は本当に満足しながら、裂いた布片《ぬのきれ》で曼陀羅華の白い花を一つ一つこの上なく丁寧に拭いた。

「その花は毒なやよって、拭いた布を間違えんようにして頂かして」

「はい。必ず捨てるようにと、そない仰言ってなしたよし」

「手はよう洗っていてよ。その手で台所《たのもと》らされたら危ないよってにのし」

「はい」

加恵は意地悪ともとれる於継の注意に明るく明るく答えた。声をあげて笑い出したいほど楽しくなっていた。於継は眉《まゆ》をひそめたまま手早く着物を片付けてしまうと足早に出ていった。

漏斗《ろうと》状*の曼陀羅華は水気を拭きとられると、花の精気も抜きとられたようにぐったりと花弁の勢いを失っていた。加恵はそれらを一つずつみい*の上に並べて置きながら、ふと雲平と初めて肌をあわせたときのことを思い出し、顔を赧《あか》らめ、部屋の中にもう於継のいないのを確かめて、ほうっと息をついた。

それは雲平が帰ってから幾日経《た》ってのことだったろう。夫婦が寝所を別にするのは当時の士分の家では当然のことではあったが、於継もいつまで知らないふりはできなかった。ある日、加恵の顔を見ずに指図し、加恵は全身が火になるような羞恥《しゅうち》を覚えながら雲平の部屋を訪ねた。夫婦といっても初夜に女から訪れるのは苦痛であった。加恵は箱枕《はこまくら》を胸の中に強く抱きしめて、雲平の部屋に入った。それは直道の寝ている部屋と襖《ふすま》一枚隔てた隣室で、日中は患者の診察室に当てられていた。もう一方の隣には下村良庵《しもむらりようあん》と妹背米次郎が眠っている筈である。嫁入りの夜ならばともかく、四方の様子を知り尽している加恵にはそれもまた苦痛だった。本来ならば於継が娘たちの部屋に退いて奥納戸を雲平の寝所にすれば自然なのだが、於継が動かない以上は加恵が出向くより仕方がない。加恵はそういうことにも於継の意図を感じないわけにはいかなかった。

全身を戦《おのの》かせている妻に対して、雲平はごく自然に振舞った。しかし胸をひらかれ乳房を摑まれたとき、加恵は驚きのあまりもう少しで声を上げるところであった。それを堪《こら》えて身をよじらせている妻に、雲平は聞いた。

「痛いか」

声を殊更《ことさら》低めているわけでもなかった。全身が羞恥と驚愕《きようがく》の重石《おもし》の下になっている加恵が答えられることではない。にも拘《かかわ》らず雲平は乳房を掌《て》の中に入れて強く摑んだり、指先で大きく摘《つま》み上げ力を入れて揉《も》んだりしながら、

「痛いか」

と重ねて問うのであった。

加恵は閨《ねや》の中の知識については、嫁入前に乳母から聞かされた以外の持合せは当然なかったし、民《たみ》も乳房の上の前戯*などはまったく知らせなかった。だから加恵はそれが雲平の外科医の興味だけの行為かとようやく考えついた。乳房は女の命だから、岩《がん》ができても切ることのできないところだという話は、雲平が帰ってきた夜にきいたばかりである。加恵は夫が初夜に妻を外科医として診《み》ていることに気がつくと躰《からだ》の芯《しん》で愕然《がくぜん》とした。丁度そのとき雲平の指が乳首の近くを捻《ひね》り上げた。

「痛い」

加恵は小さな悲鳴をあげ、雲平は黙って指を離したあと、その場所を掌で静かに揉んだ。加恵は思いがけない快感がそこに生れて、再び身悶《みもだ》え、やがて躰がひらかれてしまうまで夢中に過ぎた。

翌朝加恵は恥ずかしくて誰の顔も見ることができなかった。あの痛いと云った声が隣室に洩《も》れなかった筈はないし、聴いたひとは誰もそれを乳房の痛みとは思わなかった筈だと気が付いていたからである。雨は昼も夜も同じように降り続いていて、夜はまるで家の中にしじま*を閉じこめるような重苦しい降り方をしていた。あの声は舅《しゅうと》や門弟ばかりでなく奥納戸にまで届いたのではないかと思うと、加恵は途方に暮れた。

そして実際、みなが聴いたに違いないと、加恵は間もなく確信していた。家の中のひとびとの佇《たたず》まいが急に昨日までとは違っている。舅は寝たきりでしかもかなり衰えていたから懼《おそ》れるほどのこともなかったが、良庵と米次郎は加恵と顔を合わせるのをそれとなく避けている。於勝や小陸や子供たちまで様子が違うと思い過し、於継が一層冷淡になっていると認めて、加恵は家の中でまったく孤立していると信じこんでしまった。もっとも於継の変化は誰の目にも明らかになっていた。決して加恵に話しかけることがない。そしてこの二人が話をしなくても格別さしさわることは何もなかった。於勝と小陸の二人がいて、用事は足りるのである。

直道が亡《な》くなってから、雲平の寝室には直道の病室が当てられ、加恵は隣室の気配に前ほど怯《おび》えなくてもよくなった代りに、雲平の態度はすっかり大胆になって、行燈《あんどん》を消さずに妻を抱き寄せ、大きな目を瞬《まばた》きもせずに加恵の隅々《すみずみ》まで具《つぶさ》に見る。乳房を揉むのも相変らずであった。加恵は抗《あらが》うこともできず、声を立てないように袖《そで》で顔を掩ってはただもう一心に終るのを念じていた。しかし厭《いや》でたまらないと心は思っているのに、乳房の感触はいつか心待ちにしていて、痛いと云《い》うときには声も甘くなっていた。そういうときには、雲平の喉首《のどくび》にある黒子《ほくろ》が急に大きく見える。

苦痛なのは於継の寝ている納戸《なんど》へ戻るときであった。加恵が現《うつつ》なく雲平に添寝をしてしまい、一番鶏《どり》が鳴くのに驚いて枕を抱いて戻ると、於継はもう髪を結い終っていて、加恵を射るように見上げると、白い顔は何も云わない。

何も云われなくても加恵には於継の声がはっきり聞えた。あの声は何事よし。暁方《あけがた》まで、まあ。加恵の全身に、その声はぎりぎりと銹《さ》びた錐《きり》のように刺込んでくる。それはしかし加恵の神経を鍛える効果があった。

雨を拭きとった花を並べ終ったみに、細紐《ほそひも》をしばりつけると、加恵は身軽く立上った。濡れた着物を着替えることをようやく思いついたのである。間簞笥《けんだんす》*の中から、加恵は紬《つむぎ》*の素袷《すあわせ》*を取出すと浮き浮きしながら袖を通した。木綿縞とは違ってさすがに軽く、茜染《あかねぞめ》*の派手な色合が今の気持にはぴたりと適《かな》う。於継や小姑たちがどう思おうとも、雲平と共に雨の中で曼陀羅華を摘みとった加恵には懼れるものはなくなっていた。

厨にいた小女も小陸も、井戸端から顔を出した於勝も、加恵の華《はな》やかな着物と、その朗らかな様子に呆気《あっけ》にとられていた。加恵はにここしながら、

「これを乾かすのやしてよし。手伝《てと》うて頂かして」

と声をかけ、兄嫁の貫禄《かんろく》を初めて示した。

土竈《どべっつい》から出る煙のかからないように、鍋《なべ》や釜《かま》から立つ湯気も当らないようにと場所を選んで、加恵は小女の支えている踏台にのってみを吊しながら、子供のようにころ

ころと笑っていた。外は相変らず雨だったが、加恵の心は晴れ上っていた。

米次郎が帰ってきた。

「お帰り。濡れたろがのし。あれ、まあ」

蓑《みの》を肩からかけた米次郎の腕の中で、小さな生きものが蠢《うごめ》いているのを認めて、加恵はあでやかな声をあげた。三匹の仔猫《こねこ》が、臆病そうな目をして蓑から首を出している。米次郎はそれをそっと三和土《たたき》に降ろしたが、仔猫たちは竦《すく》んでいてすぐには動き出さなかった。

「人間も喰《く》うに困るときやのに、こないようけ生れてどないしようと云うてなしたところでしたわ。先生がどない喜びなさるかと思うたら飛んでも帰りたかったんですけども、鰹節《かつおぶし》がわりにというて断わっても御膳《ごぜんす》据えてくれたよってに、よばれてきました」

米次郎は喋《しやべ》りながら、自分の蓑をとるよりも先に、腰に下げた魚籠《びく》の中から更に三匹の仔猫を取出してみせた。奥座敷の縁先に大きな檻《おり》を作ってあったが、その中の猫はこれで十一匹になる、と加恵は胸の中で数えた。野良犬《のらいぬ》を見つけてくるのも米次郎の仕事で、犬は裏庭に繋《つな》いであるのが九匹であった。どうするつもりなのか、雲平は帰ると早々から動物を集めにかかっているのである。猫は犬のように大喰いではないし、まして仔猫だからと加恵は安心をしたが、この生れたばかりで力なげに泣いている仔猫の世話は、於勝たちだけでしきれるものかどうかと思った。この仔猫は六匹とも私ひとりで立派に育ててあげてみせようと加恵は心で誓った。妻なのだから、小姑を押しのけてでも夫の喜ぶことはしなければならない。

米次郎と前後して、薬種屋*の手代*が大きな荷物を担《かつ》ぎこんできて、俄《にわ》かに家の中は賑《にぎ》やかになった。良庵も間もなく往診から帰ってきた。

「えらいことでっせえ。ばたばた人死が出てますでえ、紀州はまだまあ暢気《のんき》なものやけども、今年は去年のようにはいきまへんやろなあ。倉に米のびっしり詰ってるとこは去年の飢饉《ききん》で減ってる筈ですよってになあ。それにこの雨は米を腐らせるばかりやのうて、川も荒すし、流行病《はやりやまい》を跳梁《ちょうりょう》させてますがや。風邪《かぜ》でもひいたが最後直れへんわ。おかげで薬屋だけは有卦《うけ》に入《い》って*ますがな。人参《にんじん》の売れること売れること。如何《いか》に高価でも命とは代えられやんのですやろなあ」

薬屋の手代は町の瓦版《かわらばん》売りのように、もう足かけ三年になる天災の諸国の有様を、見たものに聞いたことを織り交ぜては喋りたてた。

「米の値エが大坂ではもう銀百八十匁《もんめ》*でっせえ。去年の倍できけしませんがな。えらいことですわ。薬もなあ、問屋がどんどん値エ釣上《つりあ》げてからに揚句は品切れやと云い出しますねん。医の仁術と同しに薬も人助けのものやさかい、高うするのはほんまに心苦しのですけども、病人抱えてへん家のない有様では、どうにもこうにも、どだい足りまへんのや」

薬種屋は品物の値上りの言い訳もしながら近畿《きんき》一帯の惨状と都の恐慌《きょうこう》ぶりを話す一方で、更に雲平たちの興味をひきそうな話題も用意していた。

「長雨で腐るのは食べ物ばかりやない。人間の躰も腐るようですなあ。ほんまでっせ、堺《さかい》の方に奇病が出てます」

「どういうことだな、それは」

雲平が膝《ひざ》を乗り出した。大きな目が光る。

「骨が腐って外へ突出てくるのやという話です。押えると芯が膿《う》んだように痛いということです。出る場所はきまっていず、躰のどこでもところきらわず出るちゅう話ですわ。私の店の出入先で御寮《ごりょん》さん*の目の下が突出てきて、えらい騒ぎやといいます。確かに流行《はや》っているらしく、私の耳に入っただけでも十人より少ないことおへん」

「肉瘤《にくりゅう》*ですやろか」

良庵が聞いた。

「いや、骨瘤*のようやのう。あれは堅いし動かんのや。骨膜*の中に廃液が溜《た》まるのや」

「伝染性のあるものなんですかのし」

「いや。雨のせいで食べ物が偏《かたよ》っているからと違うかいな」

「直りますか」

「儂《わし》ならば直せる」

雲平はこともなげに云ってのけた。

薬種屋は手を揉んですぐさま太鼓を叩《たた》き、なんせこちらの先生は京都仕込みの腕を持ってなさるさかい、と紀州も泉州もごちゃ混ぜになった訛《なまり》で追従《ついしょう》*を云いながら、大きな薬籠《やくろう》にかぶせた油紙を取って中から注文の薬草類を取出した。

「それでもこちらの御注文の草烏頭《そうず》やの川芎《せんきゅう》*は充分ございますよってに、値エも上っておりません。当帰《とうき》*と白芷《びゃくし》*は当節需要がぐいと殖えましたんで、目方だけ集めるにも苦労したような具合ですさかい、お値段の方も御推量頂きとおます、へえ。あ、あれはなんだんね」

鼬《いたち》が裏庭を走ったのか、犬が一斉《いっせい》に吠《ほ》えたてた。薬屋が驚いたのを見て、

「犬や。十四ほどいるよってに」

と雲平が説明し、相手は一層目を丸くした。

「十四も、へえ」

「猫をあわせればまっと多いで」

「当節は捨猫捨犬の多いときでございますのによう」

「連れてくれれば薄謝を出すがのう」

「ほんまですかいな。御奇特なことですのし、人間も飢えている御時節に」

「人間を生かすために犬や猫がいるのや」

雲平の言い方が断乎《だんこ》としていたので、薬屋は恐れ入って理由を聞かずに、ごもっともですとちぐはぐな相槌《あいづち》を打った。

「それにしても鬱《うっ》とうし雨でございますなあ。薬の売行きが少々落ちても雨が止《や》んでほしいと、正直のところ手前どもでも思うてます。二年続いて降りやむ気配もないというのは有史以来ちゅう話やおまへんかいな。儂らのように歩きまわる商人《あきんど》は、年がら年中濡れ鼠で風邪をひいたら命取りですわ。紺屋《こうや》の白袴《しろばかま》＊とは云うてられしません。宿につくごとに薬を煎《せん》じて風邪の予防をしてるんですわ、へえ」

「しかし薬の買えぬひとが殖えたのう」

「へえ、米も麦も買えやん家では病人の粥《かゆ》にも事欠くちゅうわけですさかい、薬までは手も出ません。それでも紀州はまだよろしおまっせ。殿様がお城の倉を開いて金や米を撒《ま》いてなさるさかい。飢えて死ぬ者は日本全国で十万できかんということですわ」

「うむ。九代様（治貞《はるさだ》）は名君やよってにの。しかし紀南はここらあたりと違《ちご》うて、もとから貧しいところやよって、たいがい悲惨なことになってあるらしい」

すると良庵が頷《うなず》いて、往診先できいてきた話をし、商人は相槌を打って更に諸国の惨状を喋りたてた。聞けば聞くほどおぞましい災害が到《いた》るところを襲っている有様が身に迫って、ひとびとは頷き合いながら気持を滅入《めい》らせていった。

「お茶を、どうぞ」

加恵が盆の上に家の者の分も茶碗《ちゃわん》をのせて運んできた。場違いに華やかな彼女の身なりに、ひとびとは目を疑った。於継は呆《あき》れたように嫁の姿を咎《とが》め見たが、加恵はそれに気付くふりもなく、いそいそと茶を配っていた。

八

二年後、加恵は妊《みごも》った。

天明の凶荒*は五年続いて、諸国に疫癘《えきれい》*が蔓延《まんえん》し餓死と合わせて死者数十万を数えたと史書は記している。紀州はもともと貧農の少ないところであったし、藩政が行届いて他国に見られたような百姓の蜂起《ほうき》も殆《ほとん》どなく比較的穏やかにこの時期をくぐりぬけようとしていたけれども、華岡《はなおか》家は雲平の遊学時代よりもっと逼迫《ひっぱく》していた。加恵も於勝《おかつ》も小陸も、その下の妹たちも手伝って、女たちは再び機《はた》を織らなければならなかった。銀一匁《もんめ》で三合半の米しか手に入らないという物価騰貴《とうき》ばかりが原因ではない。患者が減ったわけでもなかった。それどころか、雲平が帰って一年たつかたたぬかで華岡家の狭い門には押しあうように患者がつめかけ、雲平は診察室に朝早くから夜晩《おそ》くまで坐《すわ》りっぱなしであった。霖雨《りんう》が原因して名手荘《なてのしょう》にも病人が続出していたし、堺《さかい》で流行していたという骨瘤《こつりゅう》が紀ノ川上流のひとびとの間にもひろまっていた。

だが患者が多くても、飢饉《ききん》の最中に治療費を払うことのできる者は僅《わず》かしかいない。医家の入口は栄えても、奥向は困窮する一方であった。雲平は薬を惜しむことはしなかった。値上りしている薬草をふんだんに使って薬湯を煎《せん》じ、膏《こう》を練り上げて、病人には気前よく与えていた。それをひとびとが悟らない筈《はず》はない。加えて骨瘤の治療は雲平が豪語したように彼の手当てを受けると忽《たちま》ち癒《い》えたので、川向うからも大和《やまと》からも雲平を訪ねてくる者が殖えた。食餌《しょくじ》の不足から生れる奇病が多かったから、患者の多くは貧しく、薬代の代りに自然薯《じねんじょ》を一本置いて帰るような者もいたし、雲平が好むときいて犬や仔猫《こねこ》を連れてくる者もあった。患者のそうした謝意は必ずしも華岡家を潤《うるお》すわけではなく、加恵や於勝が織り上げた綿布も家人の口を糊《のり》する*だけならともかくも、高価な薬の購入に当てられると、いくら織っても足りなくなる。

それでも手許《てもと》の詰っていることを誰《だれ》一人として愚痴にする者がないのは、やはり医家の人間として見事であった。於継を憎みながらも加恵は、彼女が数年前、妹背佐次《いもせさじ》兵衛《べえ》に広言した医者の妻の心得を思い出さないわけにはいかなかった。

芋を入れた粟粥《あわがゆ》が華岡家の常食になっていたが、加恵が妊ったのが判ると、於継は加恵には努めて米の飯を炊《た》き、患者が届けてくる鮒《ふな》や鮎《あゆ》などの飢饉の最中には高貴とも呼べる食べ物を、数の少ないときには加恵の食膳《しょくぜん》にだけつけるようになった。加恵は妊婦の常でたえず空腹を覚えるようになってはいたけれども、家中の目の前で自分だけ御馳走《ごちそう》に箸《はし》をつけることは躊躇《ためら》われた。恐縮というものを通り越して、それは苦痛に近かった。すると於継は姿勢を正して嫁を説くのだ。

「あなたが遠慮するんは思い違いというものやしてよし。嫁のあなたが食べると思えば心苦しのも当りまえやけれども、生れてくるのは華岡の家のもんや。代継ぎが生れなさるかしれんのに、丈夫に産んでこそあなたの勤めが果されますのやしてよし。そやよってに膳の上のものは、あなたの腹の中のややこに食べやそうと思うて、みんなが祈りをこめていますのや。おあがりよし」

嫁の遠慮を払うための言葉だと誰でも思ったに違いない。この話を聞いた実家の母親は涙を流して、娘の姑《しゅうとめ》が聞きしに勝《まさ》る行届いたひとであったと感謝したくらいである。しかし加恵の耳には、これ以上冷たい論理はなかった。生れてくるのが華岡の家の者というなら、産もうとしている加恵は華岡家ではまだ他人なのか。加恵の歯も舌も胃袋も、華岡家の代継ぎを養うための杵《きね》と臼《うす》のような道具でしかないというのか。於継の立派な言葉の中には、どこにも加恵自身に対する労《いたわ》りは籠《こ》められてなかった。中でも、みんなが、於継も於勝も小陸たちも、生れ出る子供のために祈りを籠めているという言葉は、最も加恵の生理を戦《おのの》かせた。加恵は姑と小姑《こじゅうと》に呪《のろ》い殺されてしまうのかと反射的に考えたくらいである。呪詛《じゅそ》を籠めた食べ物で十月十日《とつき》養われた揚句、子供が生れるのと入替りに加恵が死ぬことを皆が望んでいるのではないか。加恵は慄《りつ》然《ぜん》とした。この日頃《ひごろ》、裏の柿《かき》の木の根元に埋められる猫や犬の屍体《したい》を思い出したのである。

心がどのように怯《おび》えていても、新しい命が芽生えている躰《からだ》は動物の本能が逞《たくま》しく育っていて、抵抗しながらも膳の上のものはこの上なく美味であり箸は勢いよく動いた。於継はそれを見透かしたように、食べられる木の実や煎豆《いりまめ》などを紙に包んでは加恵の機の上に置いていた。いくら食べても空腹感が拭《ぬぐ》われることがないので、加恵は心ではその紙包みを於継の顔へ投げつけてやりたいという衝動を覚えながら、機の手を止めては貪《むさぼ》るように食べていた。自分が、飼われている栗鼠《りす》かなんぞのように惨《みじ》めな気持であり、於継の好意に感謝するよりも却《かえ》って姑への憎しみは強まっていった。

機織る動作は上半身を激しく折り曲げるものであったが、八月《やつき》を過ぎると加恵の腹部はその労働に耐え難《がた》くなった。加恵は奥納戸《おくなんど》に入ると、柱に背でもたれて針に糸を通し、古着を裂き、生れてくる子供の肌着《はだぎ》や襁褓《むつき》の用意を始めていた。動作がどうしても緩慢になっている。しかし急ぐことはなかった。

「加恵さん」

於継が入ってきて、加恵の傍《そば》というより少し後ろに坐った。加恵が姑を見るためには、坐り直す必要があったが、加恵はそれを、於継もまた加恵と顔を合わして物を云《い》うのを嫌《きら》うのであろうと針の手も止めなかった。小さな声で答えた。

「はい」

「そろそろ御産のときが近づきましたのし」

まだ二カ月先のことである。猫撫《ねこな》で声で、いったい姑は何を云い出そうとしているのか、加恵には見当がつかない。

「そのことで相談やけどものし、名手荘では初産《ういざん》は里でという慣習《ならわし》があるそうなやのし。私は川向うの人間やよってに、詳しいことは知りませんけれども」

そう云われてみると、加恵が育った妹背家でも兄嫁は最初の出産に少し目に立ってきた腹部を袂《たもと》で隠しながら実家に帰ったことを思い出した。が、加恵はのろのろと、

「そうでございますかのし」

と答えただけである。それならば私も帰りますと云えば、帰りたいなら止めませんと冷たく云われるにきまっているからだ。

「よう考えておみ。雲平さんも、それがよかろと云うてなさるよってにのし」

妊娠中は、自分でも分っているのだが些細《ささい》なことにも激しく気が立つ。加恵は頭に血が上った。雲平さん、と於継は長男の雲平だけをさん付けして呼んでいる。それは代継ぎを尊ぶこの地方の習慣で、決して怪しむには足りないものであったのだが、加恵にはひどく耳立って聞え不快であった。於継が雲平さんと呼ぶときの調子にはなんともいえない厭《いや》らしさがあると、加恵の耳には響くのである。加恵に話す前に雲平の同意を既に得てあるというのが、加恵をひどく刺戟《しげき》した。私を追出そうというのか、と加恵は内心で気色《けしき》ばんでいた。この辺りの慣習だなどと於継は麗々しく云い出して

いるけれども、於継自身はこの家で雲平を産み、取上げたのは夫の直道である。それはこの家の自慢話になっているのに、加恵の出産は雲平から遠ざけようというのか。初産を実家でする習慣は名手荘だけに限ったことではない。於継の育った川向うにだってない筈のないことなのである。初産を夫が取上げたというのは、いわば華岡家の家風としてもしかるべきことではなかったのか。加恵は数年ぶりで実家に帰る喜びよりも、於継の底冷えのする親切を憎んだ。

そんなこととは知らない妹背家では、佐次兵衛もその妻も狂喜して数年ぶりの娘を迎え入れた。

「なんど精のつく食べ物を届けようかと思うていたのやけれども、この不自由なときに当てつけがましと思われてはいかんと思うて控えていたのやして。まあまあ、少しもやつれてへんやないの。芯《しん》から安心しましたえ」

と母親が云えば、

「池の鯉《こい》で加恵の口に合う料理を作ってやれや。餅《もち》も搗《つ》いて腹一杯喰《く》わせ。欲しいものはなんなと手に入れるよってに、産に障りのないようにせっせと食べいや」

と佐次兵衛も男親には珍しく細かいことに気を遣った。打続く飢饉は名手本陣の中にも浸透していたし、小作米の取立てを放念した佐次兵衛は大庄屋《だいしょうや》として、窮民にほどこす米にも事欠く悩みを持っていて、華岡家もまた例外ではあるまいと兼ねて懸念《けねん》していた。

だから加恵が食べることにまったく不自由していなかったことを知ると、両親は於継に対して感謝の言葉もない有様だった。

「秋茄子《なす》は嫁に喰わさずというて美味《うま》いものは食べさせんちゅう姑の嫁いびりはようあることやのに、この当節にそれだけ気を遣う姑は他《ほか》にあるものでない。有りがたいことや」

と佐次兵衛が云えば、

「ほんまにのし。さすがやと思いますわよし。加恵も仕合せな。ええところへ嫁にやったものでございますよし。雲平さんも、思うた通りえらい評判やしてよし」

と、母親は自分の手柄《てがら》のように得意になって云う。

加恵はこのときになって初めて口惜《くや》し涙をこぼした。抑えに抑えていたものが迸《ほとばし》り出たので、加恵は声をあげて身悶《みもだ》えて泣いた。母親は愕《おど》いて、妊娠の疲労が実家に帰った気のゆるみで出てきたものかと、娘を抱きしめて、

「しっかりしなさいや。しっかりしなさいや。産むまでの苦労ですよってにのし。気イ楽ウにして、美しものを見て、楽しいことばかり考えていることや。案ずるより産

むは易《やす》しという通りやよってに、まず自分の心と躰を大事に思うてないけませんで。さあ気を鎮《しず》めて、のし」

と云いなだめた。

心を大事にと云われると、もう加恵は我慢しきれなくなって、日頃の思いのたけを母親に向けて洗いざらい喋《しゃべ》ってしまった。於継が冷たくあしらうこと。於継の化粧の下がいかに醜いか。美しいなどというのは嘘《うそ》の皮だ。同じように賢いというのも嘘で、夫の雲平も娘たちも汚れた着物を着て髪を振乱しているのに、於継ひとりがとり澄まして自分の身じまいばかりを気にしている。あれは自分の美しさを誇示したいばかりに周囲の者を穢《きた》ないままにさせているのだ。その証拠には、加恵が気晴らしにいい着物を着ると、それはそれは厭な顔をする。計算に長《た》けているところだけはたしかに賢くて、加恵を雲平のいないときに嫁入らせたのも、機を織らせるのが目的だったのに違いない。その証拠には加恵が妊《みごも》って機の前に腰掛けられなくなると間なしに実家へ帰れと云い出したのだ。

娘が怨嗟《えんさ》を籠めて姑を罵《ののし》りその非を鳴らす勢いの凄《すさ》まじさに、母親は最初は呆気《あっけ》にとられ次いで当惑した。加恵の訴えることのどれ一つをとっても加恵の方の思い過しとしか思われなかったからである。実際、於継は口に出して加恵に当るようなことはなかった。加恵は、小皺《こじわ》だらけの醜い顔だというけれども於継は今以《もっ》て誰が見ても美しいのであったから、それはいわれのない悪口にしか思えない。自分を美しく見せるために娘まで小穢なくさせておくのだなどとは、誰が聞いてもまさかと笑い出すだけだろう。機織りの話に到《いた》っては猜疑《さいぎ》の深さに母親は娘の心のありようを案じたほどであった。

「あんなようできた姑さんを、あんたのように云うては罰が当りますえ」

眉《まゆ》をひそめて意見をする母親に加恵は一層のやりきれなさで、喉《のど》から獣のような叫び声をあげた。自分でもこれで気が狂ってしまうのかもしれない、と怖《おそ》ろしかったが自制がきかなかった。

「ややこに障りがあったらどないするのえ。しっかりしなさいや、しっかりしなさいや」

母親は狼狽《ろうばい》し、妊娠中は理非の別なく気持の狂い立つことがあるものだと過ぎた自分のむかしを思い、ただなだめることで娘を鎮めるしかなかった。

加恵もまた、於継との確執で母親にも云えない事柄があったことを思い出していた。雲平を産んで以来三十年近くも共に暮してきた於継が、ただもう妬《ねた》ましいのだとは云えなかったし、於継の雲平に対する態度が薄気味の悪いほどなまめかしいのだとか、雲平の帰った夜わざわざ一人で寝るように指図した話などは、実の親に聞かせられることではなかった。総《すべ》てを話さないのだから、母親に分る筈はない。まして子供を夫に取上げさせることを於継は阻《はば》んだのだなどとは、訴えても当惑されるばかりだろう。

「私も姑の苦労はしたつもりやけれども、なんというても旦那《だんな》さんを産んでおくれたおひとやよってに、忍の一字があるのみやと思うてましたえ。私らは加恵と違《ちご》うて箸の上げおろしにも小突かれ続けやった。較《くら》べものにもならなんだわの。こんなに嫁が憎いものか、なんでやろかと考えこんだくらいやったよし、悪阻《つわり》で寝ていれば気のゆるみというて叱《しか》られたし、美し子が生れるようにと日に幾度厠《かわや》掃除をやらされたか分りません。しまいには袂の中が厠臭うになってしもうて、妊ると鼻がえらい利《き》きますよってに、一日頭痛抱えてのし、それでも雑巾《ぞうきん》持って厠の中を這《は》いずってましたがや」

母親は何十年ぶりかで嫁であった頃の愚痴をこぼしながら、加恵の様子が次第に静かになったのを認めると、しみじみと述懐するように云い足した。

「それでものし、加恵が妊って私は思い当りましたがや。嫁のお産には五体揃《そろ》うた孫が無事に生れますようにとそればかり一心不乱に念じてました。神棚《かみだな》に手を合わせても、仏壇にお燈明《とうみよう》をあげていても、どうぞ丈夫で賢い孫が生れて来ますようにとそればっかりやったのよし。それが吾《わ》が娘のときには手を合わせても念じていることが根から違うのやしてよし。加恵の躰に障りがないように、お産が軽うて産褥《さんじよく》に疲れの出んようにと、生れる孫よりあんたの無事を願っている。このくらい違うのやもの、家の嫁さんもたいがい苦労をしたろかいのう。私は加恵の話を聞きながら、私も嫁にこんな思いを知らずにさせていたのやなかろうかと内心で汗をかいてましたのえ」

実家に帰って何より有りがたかったのは、親の口からこうした理《ことわり》を聴いたことであった。加恵は出産の日まで幾度も幾度も母親のこの言葉を胸の中で繰返し、心を鎮めた。胎児のためにも平静であることは母となる者の心得だという努力であったが、それにしても何年か昔、夏の暑い日に曼陀羅華《まんだらげ》の咲く庭で、腹を痛めたわけでもないのに親よ娘よと呼び合う仲になったのはよくよくの深い因縁なのだろうと云った於継のあの言葉は、いったい何だというのだろうか。どう心を鎮めてみても加恵は於継を許す気にはなれなかった。

「それはそうと」

母親は話を外《そ》らすことで娘の気を変えようとしていた。

「雲平さんを慕《しと》うて新しに弟子が殖えたという話やないかいし」

「はい。高野山橋本のひとやしてよし。中川脩亭と云うて、まだ若いのやけれども、京都でしばらく修業なしてあって、なかなかしっかりしたおひとですのよし」

「雲平さんも偉《えろ》うなんなさってきたしてよし。いよいよ先生ですがのし」

「はい。中川さんら青洲《せいしゅう》先生と呼んでなさいます」

「青洲先生かのし。加恵は青洲先生の御《ご》っさんかのし」

「御っさんやなんて、まだまだそんな御大層な家にはなりませんわ。第一、お母さんが頑張《がんば》ってなさるもの、私らの出る幕は滅多にあらしませんもの」

すぐに姑の恨みごとになってしまうので、母親もいつまで続けて相手をしきれなかった。飢饉《ききん》の最中、名手本陣の御っさんである彼女には加恵にばかりかまけている閑《ひま》はなかった。日頃は穏やかに暮していても、荘内《しょうない》の凶作続きには夫と共に心を痛めるのがこの家の妻の役目であった。佐次兵衛も始終彼の管轄《かんかつ》区内の巡視に出ていたが、妻もまた女たちの愚痴を聞き集めて、妊ったものがあれば今では一層他人事《ひとごと》とは思われずに飢えることのないよう気を遣った。この年妊った女たちが総《すべ》て無事に出産できなければ、加恵もまた安産は適《かな》うまいという信仰に似た信念を佐次兵衛の妻は育て上げていた。

だが、母親には話さなかったけれども、加恵がひたすら於継を憎むことに心を向けているのは、若《も》しかするとあのことを考えまいという、必死の操作であったかもしれない。

あのことは、華岡家に住むひとたちは、誰《だれ》も決して家の外の者に洩《も》らしてはならないことだと決めていた。誰が云い出したわけでもない。皆がそれぞれにそうすべきだと考えたのである。この二年の間に死んだ犬猫の数は夥《おびただ》しいものに上っていた。下村《しもむら》良庵《りようあん》が川向うの妙寺《みようじ》へ帰って開業したのも、師事していた直道が死んだし、自分も充分の経験を積んだことから当然の独立であったのだが、雲平の奇矯《ききよう》な生活に耐えられなくなったからではないのかという疑いは、加恵ばかりでなく妹背《いもせ》米次郎《よねじろう》も抱いていた。

雲平の、いや今では青洲と呼ばれている彼の寝室には常時数匹の犬が眠りこけているようになっていた。薬の調合は総て青洲がひとりでやっている。魚の出し汁《じる》で煮た米の雑炊の中に様々な煎《せん》じ薬を混ぜて犬や猫に食べさせると、数時間たたないうちに彼らはそれぞれ変化を見せ始めた。唸《うな》り声をあげて寝そべってしまうもの、狂ったように吠《ほ》えまわってくるくるくる一箇所を廻《まわ》っている犬、あちこちに爪《つめ》を立てて悲しげな声で泣く猫。それはみな異常な声であった。家から外へ駈《か》け出してしまう犬があれば、追いかけて連れ戻《もど》るのも米次郎の役目である。そのうち犬も猫もぐったりして、四肢《しし》を投げ出して眠ってしまう。

青洲はどの犬にも猫にも拾われてくるとすぐに不思議な名をつけた。動物の食餌《しょくじ》の世話は米次郎と中川脩亭だけでは手がまわりかねるので、加恵もいつか手伝うようになっていた。動物といっても肥やせと青洲に命令されているから粗食を与えるわけにはいかない。そのために芋類などは見向きもしない贅沢《ぜいたく》な犬猫になってしまい、人間の方が遥《はる》かに粗末な食膳《しょくぜん》に向っているのが昨今の華岡家の現状なのである。飯を満足に与えられていたのは、だから妊った加恵と犬猫だけだったのだ。加恵の連想も無理ではない。

みると名付けられた猫があった。加恵は餌《えさ》を運びに行ってはからずもそれを見てしまったのだが、青洲はみるの首を摑《つか》んで焼酎《しょうちゅう》を満たした丼《どんぶり》の中に幾度も猫の顔を押入れていた。猫は暴れ、強い酒精にむせて哀れな悲鳴をあげた。そして見る間に酔い潰《つぶ》れていた。

茫然《ぼうぜん》としている加恵にようやく気がついた青洲は、歯を見せて笑顔になり、

「曼陀羅華やで」

と云った。

加恵には咄嗟《とっさ》になんのことか分らなかった。強い焼酎の臭気だけは分っていたが、

それはすでにそのとき妊っていて嗅覚《きゅうかく》が鋭敏になっていたから分ったまでである。

「ほれ、お前と摘んだ花の汁を酒で溶いて飲ませたのや。あと一刻《いっとき》もしてから来て見んか」

「は、はい」

加恵は驚いて逃げるように部屋を出たが、怖《おそ》ろしいと思いながらも一刻たつと夫の言葉通り出かけてみないわけにはいかなかった。気違い茄子《なすび》の花を食べた猫は、必ず気が狂うのであろうが、青洲がそれをどうしようとしているのか、加恵には見当がつかない。

おそるおそる顔を出すと、青洲は部厚く綴《と》じた帳面に何か細々と書き記しているところだったが、加恵を認めると顔をあげて、

「時間やな」

と云い、部屋の隅《すみ》に寝かしてある猫のところへ坐り直した。

猫の脈は前肢の脇根《わきね》でとる。青洲はじっと前足を摑んだまま、もう加恵の存在など忘れてしまったようである。息を殺して見守っている加恵の前で、いつの間に持っていたのか青洲の片手の錐《きり》が脇腹へ刺込まれた。猫の躰が痙攣《けいれん》し、呻《うめ》き声があがり、錐を抜いた後に血が噴き出た。それでも青洲は睨《にら》み据《す》えるように猫を見詰めたまま動か

ない。加恵は身震いしながらそっと部屋を出た。跫音《あしおと》を立てないように静かに歩くのだが、脚の関節ががくがくして躰は今にも倒れそうであった。

それから後もみるは血だらけになったままずっと眠っていて、加恵を見る度に怯《おび》えさせた。みるの他に蜘蛛《くも》丸《まる》と名付けられた斑犬《ぶちいぬ》と、うず市と呼ばれていた赤犬も四肢を伸ばしてぐったり眠っていた。彼らの口を割って無理やり粥や薬湯を飲ませているのは米次郎と中川脩亭である。四日後みるは柿の木の下に葬《ほうむ》られた。

妊娠中の癇《かん》の昂《たか》ぶりからか、加恵は夜になると魘《うな》され続けた。於継に揺さぶり起されたことも幾度あったろう。

「えらい声あげてたえ。水でもお飲みよし」

加恵はしかし於継の端麗な顔に悪夢の続きを見るような気がした。

本陣に帰ってからも、加恵は幾度となく魘されていた。こういうとき民《たみ》がいたらどんなに心丈夫だったろうかと思う。加恵を育てた民は、一年前に死んでしまっていた。乳母にならば母親にも云えなかった話ができたと思うし、民ならば理非を糺《ただ》さず加恵の感情に味方してくれただろう。犬や猫の死んだ話も洗いざらい喋ってしまって、胸の中も晴上ったかもしれないのに、と加恵は育ての親ともいうべき乳母の死が今では何にもまして悲しかった。

臨月に入ってから加恵は民の墓参りを思い立った。墓の前で胸の中に詰ったものを全部吐き出してしまわなければ、犬猫の祟《たた》りを受けてどんな子供が生れるかその怖ろしさで落着かなくなっていたからである。母親は年配の女中を付けて、くれぐれも注意するように、今転《こ》けたらえらいことになりますよってにのし、と云いながら出してくれた。何かと癇を立てる娘が少しでも気を鎮めることができるのなら、何でもさせてやりたい親心だったのだろう。

民は葛城《かつらぎ》山脈の麓《ふもと》にある墓地に静かに眠っていた。名手駅の家から小半刻《こはんとき》もかかって小さな墓の前に辿《たど》りついた加恵は、女中を遠ざけて墓石の前に蹲《つくも》るとしばらく黙って合掌していた。こうして出かけてきてみると、大声出して云いたかった悉《ことごと》くが既に早く民の耳に届いてしまっているようで、加恵はただ放心していた。古い墓石で、それは妹背家の代々の小作の家の累代《るいだい》の墓というものであるらしかった。石の面《おもて》に彫られた文字《もじ》も風化していて加恵には読みとれなかった。人間は死んでしまうとこういうところへ納まるものなのかと、加恵はしげしげとそれを眺《なが》めていた。新しく生れてくる子供は十日ばかり前から胎動をやめている。加恵は大きな腹部を抱え上げるようにしてようやく立上った。

何も云わなかったのに乳母は加恵の心を解いたものか帰りの山道で陣痛が始まった。

女中は子を産んでいたから慌《あわ》てもせずに、痛みが止ると歩かせ、痛み出すと背にまわって加恵をなだめ、

「初産は痛み出してから半日はかかるものですよってにのし」

と云いきかせた。

行きの倍近い時間をかけて帰ると、母親はすぐ湯を沸かさせて髪を洗わせた。痛みは譬《たと》えようもなかったが、しばらくすると嘘のように消え、また時をおいて痛み出す。加恵はその痛みの異様さに全身で驚愕《きょうがく》し、うろたえていた。抑えても唸り声が全身からにじみ出る。痛むとき、加恵は見栄《みえ》もなく畳に爪を当てて這《は》いまわった。出血が始まり、肌着《はだぎ》は汚れて敷蒲団《しきぶとん》にも汚点をつけた。加恵は血を吐きながら呻いていたうず市や、断末魔に突然四肢を突っ張った蜘蛛丸を思い出した。怖ろしかった。額には脂汗《あぶらあせ》が浮び、加恵は底知れない恐怖の中で民の名を幾度か呼んだ。腰骨がめりめりと音を立て、割れて、裂けて、ひきちぎれるかと思ったとき、股間《こかん》にぬるりと生温かい感触があり、痛みが掻《か》き消され、同時に股《また》の上で鮮魚のようにぴたぴたと嬰児《えいじ》が跳ねた。次の瞬間、壁を突き破るような産声《うぶごえ》が湧《わ》き起った。

出産の瞬間に、こんな大きな喜びで女の全身が押し包まれるものだとは加恵は想像もしていなかった。小半日がかりの激痛は文字通り生身を裂かれるようであったのに、

内腿《うちもも》で子供がぴたぴたと跳ねたとたんに痛みも苦しみも忽《たちま》ち消えて、残ったのは子を産んだ事実だけである。そうして思い返してみると、産むときの肉体の痛みは闇《やみ》を裂いて稲妻が閃《ひらめ》き、耳の傍《そば》に雷《いかずち》が落ちたのに似ていた。加恵は夫青洲が生れたときの物語を、産後の躰《からだ》にはじめて実感を持って信じることができた。

母になった喜びは、何物をも征服した勝利感に似ている。もう何に怯えて暮すこともないだろう、と加恵は思った。於継も於勝も小陸たちも誰も青洲の子を産むことだけは出来ないのだ。

出産の報《しら》せをきいて青洲は駈《か》けつけると、加恵の隣の小さな蒲団の中に寝ている嬰児を覗《のぞ》きこんで、

「器量よしやないか。小弁《こべん》という名アはどうや。儂《わし》は前から女《おなご》やろうと思うてたのや」

と上機嫌《じょうきげん》であった。

生れたばかりを器量がいいというのは親の欲目には違いなかったが、加恵も小弁の面立《おもだ》ちが於継に似ていると思い、それが少しも不快でなく却《かえ》って美しく育つだろうと嬉《うれ》しかった。あれほど怨《うら》み憎んでいた姑を出産と同時にまた昔のように美しいひとと思い直せるというのは不思議ながら有りがたいことであった。それが勝利感から生れ

ている余裕だということには思いいたらない。

於継が見舞いにきたのは三日後であった。

「御苦労さんやったのし、加恵さん。この次には男の子オ産んで頂かして、え」

加恵はいきなり氷がふれたようにひやりとした。於継が最初に産んだのは青洲という勝《すぐ》れた代継ぎだったという誇りの前で、加恵の全身に漲《みなぎ》っていた歓喜は音を立てて押し潰《つぶ》されていた。

「はい、この次は」

喉《のど》がかすれて声が惨《みじ》めだった。

「お大事に。よう養生してから帰っておいなさいえ。家は充分に女手が足りてますよってにのし。お大事な嫁でございます。よろしゅうお頼ン申しますよし」

於継は終始、見事な微笑を絶やさず、加恵の両親にはこの上なく行届いた挨拶《あいさつ》をして帰って行った。

九

小弁が四歳になった年の夏、小姑《こじゅうと》の於勝《おかつ》が発病した。最初それに気がついたのは加恵で、井戸端から手桶《ておけ》を提げてくる姿がどうも不自然なのである。よく見ると左で提げているのだった。右手には何も持っていないし、於勝が左利《き》きだったわけではない。それから気をつけていると右肩のあたりをそれとなくかばいながら働いている。機織《はたお》りは「しんどい」と云《い》って一番先にやめてしまったことも思い出せた。天明の飢饉《ききん》は過ぎていたし、青洲《せいしゅう》の名は近隣に聞えて患者が多く、家内はかなり潤《うるお》ってきていたから、もう機織る必要もなかったのだけれども、家の中の者の着るものは自分たちで織り出す習慣がいつとはなしに出来上っていた。それが無口でしっかり者の於勝が疲れると云ってやめたのだから、よく考えればそれだけでも変な話だった。

「姉《あね》さん、どこぞお加減悪いんと違いますかのし」

加恵が見かねて聞くと、於勝はきまり悪げに苦笑してから、

「そないに見えますかのし」

と云うだけで、悪いところがあるともないとも云わない。

義妹に当る於勝を姉《あね》さんと呼んでいるのは、加恵とは同い年だからで、青洲のいないときに嫁入って以来の習慣である。もう三十になっていて、遂《つい》に嫁に行く気配のない小姑であった。適齢期には婚礼支度にかかる費用も何もかも兄にいれ上げて機織りに精を出していたし、青洲が帰ってからは折悪《おりあ》しく五年も続く飢饉に出会《でくわ》してしまっ

た。あの頃《ころ》はどこの家でも葬礼以外のかかりは出したことがなく、縁談はまったく起らなかったし、仮に起ったとしても薬を買うために家中で機を織らねば追いつかなかったのだ。嫁に行くとすれば裸ででもなければ何一つ持っていける貯《たくわ》えはなかった。青洲の学費、天災、青洲の仁術に青春を捧《ささ》げ尽したというのが於勝であり小陸である。小陸の方も二十八歳になっている。加恵が小弁を産んだとき於継《おつぎ》が云ったように、女手の多い家なのであった。

於勝の食慾《しょくよく》不振や冴《さ》えない顔色にはもちろん於継も間もなく気が付いて、どこが悪いのかと問い糺《ただ》したが、於勝は加恵に対したときと同じように言を左右にして何も云おうとしない。

「具合が悪いのであったら、兄《あに》さんに薬を合わしてもうたら、ぴたりと直りますがや。それでのうて川向うやの泉州あたりからまで治療を頼みに来ますものか。手当ては早いほどよろしよってにのし」

於継は口を酸《す》くして説いたが、於勝は黙って頷《うなず》くばかりで、日頃は母親に従順な娘なのに一向に青洲に症状を打明ける様子はなかった。

しかし間もなく下の妹のたねがいい頓狂《とんきょう》な声をあげて皆に報告した。

「大きい姉さんの乳、西瓜《すいか》みたいなやわ」

この無邪気な発言に顔色を変えたのは於継ばかりではなかった。米次郎《よねじろう》も脩亭も息を呑《の》んで、青洲の顔を見た。すでにこのとき青洲の門弟は殖えて、麻生津《あおず》＊から湯浅養玄、名手《なて》荘打畑《のしょう》から林周蔵、川向うの伊都《いと》郡待乳《ぐんまっち》＊から毛利尚斎《もうりしょうさい》が入門していた。彼らも一斉《いっせい》に青洲の顔を仰ぎ見た。

「於勝、見せんか」

苦渋に満ちた顔をして、青洲は妹に云った。於勝も観念したのか、治療室に身を横たえた。小陸は末の妹たちを制して裏に消えたが於継は末息子の片腕を摑《つか》み引据《ひきす》えるようにして青洲の背後に坐っていた。良平はそのとき十三歳になっていた。青洲と同じように医学へ進めさせる意図があってのことだったろうか。加恵もまた門弟たちの背後からそっと覗《のぞ》き見ていた。

於勝の乳は紫紅色になって片手で抱えきれないほど腫《は》れ上っていた。青洲の大きな掌が当てられても掩《おお》い隠せなかった。

「痛いか」

青洲が聞き、背後にいた加恵はその言葉の記憶に愕《おどろ》いて息が止った。

「疼《うず》きますよし」

「いつからや」

「桃の節句の頃に小さなぐりぐりが出来てましたのよし」

「なんでそのとき云わなんだのや」

その質問には答えずに、於勝は静かに問い返した。

「乳岩《にゅうがん》ですのやろ、兄《あに》さん」

当人よりもずっと、取囲んでいるひとびとの顔色が蒼《あお》い。

青洲は答えなかった。於勝も二度同じ問いは繰返さなかった。乳の中の腫瘍《しゅよう》に治療の方法がないことは、青洲が京都から帰りついた夜の話にも出たことであったし、於勝もひとびともよく知っていた。切れば女の命は絶えるというところなのだ。桃の節句の頃に云い出したところで、助かる筈《はず》はない病《やまい》であった。処女のまま誰《だれ》の手も触れることのなかった乳房が、吾子《わがこ》に乳を含ませたこともない乳房が、不治と刻印を押された岩に犯されるなどということがあってよいものか、と、加恵は狼狽《ろうばい》を鎮《しず》めることができなかった。

炎症止めの煎《せん》じ薬と、湿布のための練膏《ねりこう》が与えられた。それが気休めだけのものだということは誰の目にも明らかだったし、於勝もそれを知らないではなかった。気丈な彼女は痛みを訴えることはなかった代りに、よくよく耐えきれないときには、

「兄さんの痛み止めは飲んではならんものですかのし」

と、聞いた。

青洲の痛み止めというのは外科手術の際の塗布薬である。それはあの天明年間に骨《こつ》瘤《りゆう》患者が多く、その手術をしたときから辺りに有名になっていた。刃物を当てられても痛まないというので患者たちが吹聴《ふいちよう》し評判になっていた。乳岩には刃物が当てられないし、創口《きずぐち》も開いていないので、塗布剤は効果がない。しかし、それを飲めば痛みが柔らぐのではないかと激痛に呻吟《しんぎん》する於勝は考えついたのであろう。

青洲は妹を見下ろして、静かに答えた。

「あの薬は曼陀羅華《まんだらげ》と草烏頭《そううず》が仰山《ぎようさん》入ってあるのや。飲むには毒が強すぎるよってにのう。辛抱してくれ」

「ほなら、あの、眠って死ねる薬を頂かしてよ、兄さん」

眠って死ねる薬というのは、柿《かき》の木に葬《ほうむ》られている動物たちに与えられていた薬のことに他《ほか》ならなかった。於継がいたたまれないように立って、部屋を出て行った。加恵の頰《ほお》にも滂沱《ぼうだ》と涙が溢《あふ》れ落ちた。だが於継はすぐ戻《もど》ってきた。

「医者は命を助けるのが使命やよってに、どんなに苦しむ病人にも死ぬる薬ばかりは合わすことがならんのや」

「ほなら兄さん、私の躰《からだ》を切り開いて、兄さん得意の手術をして頂かして」

「それが出来るくらいなら、お前をこのままにおくものか」

「乳を切って死んでも、兄さんの手にかかれば本望やし、なんどの役に立つなら私も」

於継が、喉《のど》の奥から悲鳴のような声を立てた。娘の死期が迫っている。不治の病の前で足掻《あが》いている。於継が言葉にならない苦しみのただ中にいる。加恵は見ていた。青洲も同じように泣いているのを。涙も流さないし、声も立ててはいないが、しかし彼の喉首にある大きな黒子《ほくろ》が激しく震えている。

「あれほど於勝が云うのやよってに、痛み止めの薬を膏薬代りに使うてやって頂けませんかのし」

於継が青洲の顔色を見ながら云い出したのは暮も押詰ってからであった。外科医の家の中に乳岩の患者を抱えて、この家では誰も正月の準備は手につかない。

「あの薬は乳岩には効けしませんのや」

「それでも気休めに」

「お母《か》はんは、於勝を殺すつもりですか」

怒気鋭く聞かれて於継は驚いて云い返した。

「なんで、そんな。誰が娘を殺したいと思いますものか。代りになれるものならば私が死にたいとこそ思え、殺すつもりやなんどと」

「乳にあの薬を貼《は》ったら、於勝はそれを口に入れますよ。そのつもりで云うてるのやというくらい、お母はんには分らんのですか」

於継は、息を呑んで青洲の顔を見た。恐怖で顔がひき攣《つ》っている。

云い過ぎたと思ったのか青洲は日頃の落ちついた声音になった。自分の悩みを、このときようやく打明ける気になったらしい。

「乳岩の治療は女の命取りやと云われていますが、切って直したという記録が全くないわけやないのですわ。儂《わし》が京都におった頃、永富独嘯庵《どくしょうあん》*が長崎で和蘭《オランダ》人ほんとのうの外科を伝え聞いたという話を〝漫遊雑記〟に書いてあるのを読んで抜き書きしてあります。これを見て下さい」

青洲は書棚《しょだな》から京都時代の部厚い帳面を取出すと、紙を挟《はさ》んでいた箇所を開いて母親に示した。

乳岩不治《にゅうがんのなほらざる》。自古然《いにしへよりしかり》。而和蘭書中有言曰《しかれどもオランダしょちゅうげんありいはく》。其初発如黴核之時《そのはじめばいかくのごときをはっせしのとき》。以快刃《くわいじんをもって》割之《これをさき》。後従合創之法治之《のちにがふさうのはふにしたがひてこれをなほすと》。斯言有味《このげんやあぢはひありと》。雖余未試之《いへどもよいまだこれをためさず》。書以告後人《しよしてもってごじんにつぐ》。

「乳岩は直らんと云われているけれども、紅毛*の書に小さなかたまりを切って治癒《ちゆ》したという記載がある。味わうべきことやが、自分はようやらんから、後の人のために書いておく、というんですわのう。儂は於勝が寝込んでから昼となく夜となくこのところを睨《にら》んでますのやが、於勝の岩はすでに拳《こぶし》ほどではあり、脇《わき》にも肩にも結瘤《けつりゅう》が出ていて、切れば乳だけでは済まんのです。それに何よりも衰弱してしまっている。なんの手術であっても、痛みと出血で躰は持ちませんのや。麻酔薬が出来ていればともかくも」

「麻酔薬は出来ているんと違いますのんか。犬も猫《ねこ》も薬から醒《さ》めて歩いているやありませんか。近頃は柿の木に埋めることも、とんとなくなっていますやないの」

「動物の躰と、人間の躰とは違いますよってにのう。まだ人間で試すところまではいっていませんのや。それでのうても、試す人間がいるとは考えられへん。お母はんは娘を見放すのはそれは辛《つら》いことですやろ。しかし儂は兄として於勝を見放すより、医者として手を束《つか》ねていることの方が倍も十倍も辛いのです。遂《つい》に華佗《かだ》に及ばぬかと、儂は腸《はらわた》がよじれるほど口惜《くや》しい。分って下さい」

　母と子の会話は突然庭先で持上った叫び声によって中断された。

「兄さん、兄さん」

末の妹たちが喧《やかま》しく呼んでいる。

「何やね」

立上った青洲のところへ、米次郎が白猫を抱いて飛び込んできた。

「先生、白煎《びゃくせん》が」

「どないしたのや」

「縁から落ちて、自分で落ちて、庭石で頭打って、この通りですのや」

白煎と呼ばれた猫は眼《め》からも鼻からも口からも血が噴き出していた。青洲の前に寝かされると、四肢《しし》がかすかに痙攣《けいれん》したが、そのまま動かなかった。

「自分で落ちたのか」

「はい。ふらりふらりと歩いていたのが、縁のふちへきてゆらっと傾《かし》いだと思うと、頭を下にしてまっ直《す》ぐストンと落ちましたんですわ」

猫は身軽い動物であった。衿首《えりくび》を摑んで空中高く放り投げても、巧みに身を翻《ひるがえ》して鮮やかに着地することのできる柔軟な躰と運動神経を持っている動物である。それが縁から庭へ落ちて即死したというのだ。

白煎はつい十日ばかり前に麻酔薬の実験に使われていた。完全に三日眠り痴《こ》けて、錐《きり》で刺しても死んだように動かず、脈はうち続けて、やがて眼醒めたとき塩湯を飲ませると間もなく起き上って、ひょろひょろ歩き出した。三日間の空腹を補うために好物の魚の煮汁《にじる》で炊《た》いた粥《かゆ》を与えると正常な食慾を示したのだが、鼠《ねずみ》が目の前を走っても平然としていた。薬毒によって脳が犯されていたのであろう。

騒ぎをきいて顔を出した加恵も、青洲も於継も、白煎の屍体《したい》の前でしばらく声がなかった。猫の死そのものは見馴《みな》れていたから驚かなかった。しかし、低い縁先から落ちて死んだという事実は、何にもまして彼らを慄然《りつぜん》とさせていた。

於勝が息を引取ったのは、年が明けた一月二十日であった。もはや死期は予知されていたから、元旦《がんたん》の雑煮は良平でさえ椀《わん》を重ねなかった。於勝の死ぬ前から華岡《はなおか》家は喪に掩われていた。

雲平の末弟良平は、乳岩の症状から死まで具《つぶさ》に見ていたにも拘《かかわ》らず、まだまだ彼の幼さは死そのものに対して割切れない疑問を残していた。彼は悲嘆の押詰っている家から飛び出して冬の野原を駈《か》けまわって帰ってくると、村人たちの噂話《うわさばなし》などを耳に入れてきたらしく、

「大きい姉さんが死んだんは犬や猫を仰山殺した祟《たた》りやとみんな云うてるでえ」

と報告した。

「お黙りよし。二度とそんなことを云うたらあきまへんで」

於継は反射的にたしなめたが、顔は藍甕《あいがめ》*を覗いたように青くなっていた。柿の木の下に埋めた動物たちの供養《くよう》は怠ってはいなかったが、近頃は麻酔から醒めた犬や猫が白煎と同じように脳を犯されているのか、ふらりふらりと幽鬼のように家の中を歩きまわっている。死んだものは鎮められても、生きて魂の抜けた動物たちはどう慰める方法もなかった。祟りというならば、犬と猫の生霊《いきりよう》*の業《しわざ》に違いないと家の中の者たちは考えようとしていた。

だが加恵は頭の中のものを振払うようにして、幼い義弟に云いきかせた。そんな考えが家の中からも芽生えたのでは何より青洲が苦しむだろう。

「祟りなものですかいな。もし祟りがあったのやったら、小弁は無事に生れてませんやろ。こないに丈夫には育ってませんやろ」

はっと口を閉じたがもう遅かった。於継の蒼《あお》ざめた顔の中で青い火花が散ったかに見えた。それは祟りが、嫁の加恵を避けて娘を襲ったと確信した母親の物狂いに違いなかった。その考えが理不尽なものだということは誰よりも於継自身が知っている筈だが。

於継は何一つ口に出しては云わない。しかし於勝が死んで以来、於継と加恵の間は更に冷えていた。小弁を産み育てていた加恵は、子を喪《うしな》う親の苦しみは自分のことのように理解できたと思い、日頃の怨《うら》みも妬《ねた》みも忘れて純粋に於継の悲嘆に同じ情を通わせることができるつもりであったのに、於継の方では嫁の心が解けたのと逆に、於勝の死の誰に向けようもない怒りと怨みの念を加恵に向けた敵意に練り固めてしまったのであった。もはや加恵から近寄る術《すべ》はなかった。於勝の葬礼の間も二人は同じ家の中でまったく口をきくことがなく、用向は於勝の妹の小陸が果すようになった。温和な小陸も、姉と同じように嫁ぎそびれて、すでに三十歳になろうとしていた。

下村良庵《しもむらりょうあん》は妙寺《みょうじ》に開業してからも礼儀正しく折にふれて恩師の家を見舞いにきていたが、於勝の通夜《つや》にも衣服を改めて現われ、放心している家族に代って葬礼の体裁を整えていた。於継はともかくとして、青洲の落胆ぶりは殊《こと》の外甚《はなは》だしかった。まるで彼も共に病み衰えたひとのように痩《や》せて、三十三歳とは見えないほど老《ふ》けこんでいた。良庵は先師である直道の晩年を思い出したほどである。通夜の客たちが帰った後、於勝の棺の前で良庵は青洲を慰めずにはいられなかった。

「諦《あきら》められんことですやろうが、気落ちが先生の躰に障ったんでは仏さんも悲しみなさるでしょう。寿命やったと思いなさることですわのし」

青洲の眼がかっと割れると、

「医者が坊主のように寿命を信じられるか。どんな病でも病で人の死ぬときは医術が到《いた》らなんだからや。於勝を殺したは儂や、儂なんや。見殺しにしたのは儂の医術が足らなんだからや。この苦しみが分らんというのか」

棺の蓋《ふた》も開くかと思われるような絶叫であった。

震え上ったのは良庵ばかりではなかった。門弟たちはみな正視に耐えきれずに棺の前を離れた。それまで、どうせ助からないのであれば実験のためにも医者ならば切るべきだと密《ひそ》かに主張していた中川脩亭も、口を噤《つぐ》んでしまった。まだ生きている人間に執刀するためには、生かす自信がなければならないことに思い到ったのに違いない。

下村良庵は、悄然《しょうぜん》として妙寺に戻った。

十

うららかな春であった。加恵は井戸端で濯《すす》ぎ洗いをしていた。のどかに小鳥の声が聞え、手許《てもと》の水の音も浮立つような日和《ひより》であった。天災に悩まされ続けた天明の頃《ころ》はようやく忘れさられていた。紀州香厳院さまは飢饉《ききん》の庶民救恤《きゅうじゅつ》*に藩庫を使い果して、御家中《ごかちゅう》は以後六年間知行*を半分に削られたという話だったが、その時期も過ぎ、藩主も代が変って十代治宝《はるとみ》公の治世になってからも十年になる。加恵は亡《な》くなられた香厳院さまは名手本陣《なて》にお泊りのときお給仕に出てお見上げしたことがあったけれども、今の殿さまのことは何一つ知らない。ただお城の中が先代の節倹から俄《にわ》かに華美に移ったという噂《うわさ》は聞いている。上の行うところ下これにならうというけれども、天明のあの時期を越えてしまうと、豊作続きの昨今は名手荘でもひとびとはすっかり安心してしまって、暮しむきにも贅沢《ぜいたく》なことが殖えてきた。質実な華岡《はなおか》家にも、そういう世間の風は浸《し》みこんできて、青洲《せいしゅう》の末の妹を二人たて続けに嫁入りさせたときは、かなり潤沢な暮しになってはいたものの随分無理な算段をして支度を整えたものである。小陸はもう嫁にいくことはすっかり断念していたが、上の二人の轍《てつ》*を踏ませないように、下の二人には縁談があると急いで於継《おつぎ》は話をまとめた。青洲の名は紀州ではもうかなり聞えていたから、一番末の妹は海口郡の黒江*という遠いところへ片付いていた。

家族は五人になっていた。次弟の治兵衛《じへえ》は川向うの丁之町《ちょうのまち》に一人立ちして店を開いていたし、その下の弟は高野山正智院《しょうち》の住職の座を約束されている。良平は寛政五年に京都へ遊学に出て四年になる。学費の心配を加恵たちがする必要はもうなかった。しかし門弟が更に数人殖えていたので、家の中の人数は前とは較《くら》べものにならない。門弟の多くは学費を納めているから急造りながら書生部屋を建増ししたし、彼らの食事と洗濯《せんたく》などをする女中も一人傭《やと》って、華岡家もようやく医家の体裁を整えようとしていた。

加恵も今では於継のように自分の髪型や着るものに気を配りながら御《ご》っさんとして暮せば暮せないこともないのだが、健康な加恵は小さな家の中にいるよりも、天気のいい日には陽光を浴びて両手を水に浸し、洗濯をするのが何より好きになっていた。青洲の汚れた肌着《はだぎ》をごしごし灰汁《あく》洗いしていると、於継の底意地の悪さも忘れて心が爽快《そうかい》になってくる。もう十五年この家にいるのであった。於継の一顰《いっぴん》一笑*にびくびくしないだけ加恵はこの家に根を張っていたし、同じ屋根の下にいても具合の悪いことにはその手前で身をかわすという技術もいつの間にか身につけていた。於継との間がしっくりいかなくても、今ではその方が自然なのだという達観さえ持っていた。どこの家でも口にも面《おもて》にも出さないだけでおそらく同じことが起っているのだろう。姑《しゅうとめ》と嫁が睦《むつ》みあっているところは、よほどうまく騙《だま》しあっているからに違いない。この家の場合は於継が少し鋭すぎるのと、加恵に利発な才覚がなくて何か事が起っても小廻《こまわ》しがきかないというのが噛《か》みあって、ぬきさしならなくなっている。しかしそれにも互いに馴《な》れてきた頃であった。濯ぎ上げた衣類を強く絞って水を切ると、加恵は立上って勢いよく盥《たらい》の水をあけた。

「お母《か》さん、お父《と》さんが猫《ねこ》と遊んでなさるんよ。面白《おもしろ》いから見てみやん」

小弁が呼びにきて、すぐまた庭先へ駈《か》け出していった。そう云《い》えば先刻から門弟たちが大声で湧《わ》き立っていた気配がある。猫と……加恵は多少訝《いぶか》しげに思いながら、前掛で手を拭《ふ》き拭き玄関の土間から庭を覗《のぞ》いて見た。

門弟たちが全員揃《そろ》っていた。青洲はその中央で一匹の三毛猫を抱きかかえて哄笑《こうしよう》していた。何があったのだろう、と加恵は驚いた。於勝が死んで以来、こんなに青洲が上機嫌《じようきげん》だったことは見たことがない。

加恵の姿を認めた米次郎《よねじろう》が寄ってきた。彼も喜びのあふれた顔をしている。

「麻沸《まふつ》が、麻沸があんじょう宙返りやりますねん」

息をはずませながら彼は云った。が、加恵には咄嗟《とつさ》に意味が分らない。

「加恵か」

青洲も気がついた。

「見ていイや。ほれ」

腕の中の三毛猫が思いきり高く放り上げられた。猫は全身をくねらして鳴きながら空を掻《か》いたが、やがて軽やかに庭土に舞い降りた。それは猫でありさえすれば珍しくもない芸当である。だが、麻沸と名付けられたその猫は、ついこの間例によって青洲の実験に使われて丸三日奥の座敷で昏睡《こんすい》を続けていた猫だったのだ。白煎《びやくせん》が縁先から墜落して死んでから、もう数年の歳月が過ぎている。青洲のたゆみない麻酔薬の研究が、始めてから十余年を経てようやく完成に近づいている証拠に違いなかった。

加恵は感動で全身が震え、言葉も出なかった。

於継と小陸も家の中から出てきた。青洲は母親の前でまた三毛猫に宙返りをやらせてみせた。

「これに麻沸と名付けた甲斐《かい》がありましたわ。華佗《かだ》は麻沸湯というのを使《つこ》うて大手術をやってるんです」

「大成功ですわのし。おめでとう。お父さんが生きてなしたらどのように喜ばれたことですやろ」

於継の声も感動でふるえていた。

「いやいや、たかだか猫が元気になっただけのことや、まだ成功とは云えませんわい。猫と人間とは大違いですよってにのう。この小さい猫と同じ量では人間には効きませんやろし、どのくらいどの量を増せば人間を眠らせて薬毒からも守れるものやら、難かしいのはこれからですのや」

途中から青洲の顔にあった喜色が翳《かげ》ったのは、どうして人間で試すことができるかと思い到《いた》ったからに違いなかった。賢い母親は息子の心の動きを読めない筈《はず》はなかった。於継は先刻から庭に出て喜びを嚙みしめている加恵を振返り、じろりと見ると、そのまま黙って暗い家の中に入って行ってしまった。

加恵はこの喜びの最中に自分のいることが何故《なぜ》於継を不快にさせたのか見当がつかなかったが、長い歳月に練られてこだわらなくなっていた。しかし、それにしても今日の於継の様子はしばらく加恵の心にかかった。麻沸と名付けられた猫が見事に宙返りをしたのだ。今日だけでもその喜びに浸りきっていてもいいのではないか。

その謎《なぞ》を解くには幾日もかからなかった。ある夜、青洲の寝所で加恵が夫の着替えを手伝っているとき、於継が唐紙を開けて音もなく部屋の中に滑り込んできた。夜更《ふ》けではあり、夫婦の間にはそのとき通い合うもののあった折柄《おりから》で、加恵はいきなり覗き見されたような厭《いや》な思いと羞恥心《しゅうちしん》でそこに釘付《くぎづ》けになった。於継はそういう加恵には一瞥《いちべつ》もくれずに青洲の前にぴたりと坐ると、迫るようにして口を切った。

「雲平さん、考えに考えた末に云うことですよってに、私の話をきいて頂かして」

「なんですかいな、また改まって」

「今日は一日お父さんのお墓にも参って相談してきたのやしてよし。儂《わし》が生きていれば同じことをしたやろと、お父さんの声が聞えたように思うたのよし」

「それはいったいなんのことですか」

「麻沸湯の実験は私を使うてやりよし」

愕《おどろ》いたのは青洲だけではなかった。加恵も飛び上るほど驚き、息を呑《の》んで夫と姑の姿を見詰めた。

「お母はん、なんのことかと思うたら」

青洲は笑い流す気で咄嗟に肚《はら》をきめたらしい。

「夜の夜中にえらいことを云い出して、びっくりしますがな。そんなことに気遣いなく、心を鎮《しず》めて寝《やす》んで下さい」

「いいえ」

於継の口調には断乎《だんこ》としたものがあった。

「雲平さんの研究に人間で試すことだけが残ってあるのを、身近くいて気付かないのは阿呆《あほ》だけや。私は雲平さんを産んだ親ですよってに、雲平さんの欲しいもの、やりたいことは誰《だれ》にましてははっきりと分るのやしてよし」

加恵は自分の耳が今、於継の指先で引裂かれるのを感じた。身近くいて気付かない阿呆というのは、明らかに加恵を指している。私は親だから、はっきり分る、というのにも青洲に対する於継の優位を誇示する響きがあった。

次の瞬間、加恵の口からは激しい言葉が迸《ほとばし》り出た。

「とんでもないことやしてよし。その実験には私を使うて頂こうとかねてから心にきめてましたのよし。私で試して頂かして」

於継は冷やかに加恵を顧みて云った。

「それこそとんでもないことやしてよし。大事な嫁にもしものことがあっては、私が世間に顔向けできません。私に気をかねて、そんなことは口出しせずと、あなたは大事な命を守って、家の栄えを見ておいなされ」

「何を仰言《おつしや》います。世間に顔向けできんのは、嫁の私のことやしてよし。大事の姑に薬を飲ませて、どないして私が安閑と暮せますやら。このお役はどないなことがあっても私にやらせて頂きますよし」

「いいえな。私は老先短い躰《からだ》で、ことにはお父さんに先立たれ、子供は立派に育って、雲平さんには立派な嫁御がついていますのや。心残りになることは何一つありませんのよし。於勝《おかつ》が死んだとき共に死のうかと思うてからは、ずっと満足には生きてきたように思えません。代がわりしたこの家で若いひとに気兼ねして生きるより、早《はよ》うお父さんのもとに行きたいと思い暮していたのやしてよし。その躰が息子の役に立つのなら、こんな有りがたいことはないがのし、あなたには、この家の代継ぎを産まんならん大事な役目も残っていることではあり、それの果せんうちは粗末には扱えん躰やしてよし」

何も経緯を知らない者には、この姑と嫁との対話は美しい争いと見えたであろう。しかし加恵の耳には一本々々鋭い杭《くい》を打込むのに似て聞えた。立派な嫁御というのは皮肉であったし、代継ぎを産む役目というのは小弁を出産した直後にも云われたことであった。その小弁はもう十歳にもなっているのに、加恵の躰には何の兆《きざし》も現われていない。加恵にとって、それは何よりの負い目であるのを、於継は故意に衝《つ》いている。加恵はもう殆《ほとん》ど逆上していた。

「嫁《か》して三年子無きは去ると云いますのに、産んだのは女ひとりの能なしでございますよし。私の命の何が惜しめますものか。私を使うて頂きますよし。お齢《とし》を召したお方に、ななそんなことを」

卑屈に見せて、ずばりと年寄と於継を呼んだのは、齢より若いのが何より自慢の姑の誇りに斬《き》りこんでいる。

「いかにも私は役立たずの年寄やしてよし。けれども病知らずに八人の子を産んだ丈夫な躰ですのや。どんな実験にも間に合わん筈はない」

「姑にそんなことをさせては、嫁の道は立ちません。私を使うて頂かして」

「嫁の道の立つときは、姑の道が立ちませんのよし。私から云い出したことなのですよってに、私から使うてもらいますよし」

同じ言葉を繰返し繰返し、争いは続いた。陰険な響きを持つ争いの前で耐えきれなくなったのは於継でも加恵の方でもなかった。青洲はやにわに敷蒲団《しきぶとん》の上に仰向いて倒れると、野獣のように咆《ほ》えた。それは家中のものが目を醒《さ》ましたほど大きな声であった。

「やめエ、やめエ、やめんか」

妻には叱《しか》りつけ、母親には、

「老先短いの、惜しい命ではないやのと、儂の薬を飲めば間違いなく死ぬと思うてなさるのか、お母はん」

と、目には医者の怒りが光っている。加恵も於継も息を呑んだ。女たちは互いの功をはやるあまり、青洲の自信と誇りを忘れていたのだ。

「ご免なして」

加恵はすぐ詫《わ》びた。

「私としたことが、えらい云い方をしてしもうた。堪忍《かんにん》して、え」

於継もしまったと思っている。

青洲は、すぐわだかまりのない磊落《らいらく》さを取戻《とりもど》すと、

「さあ、二人とも気イ鎮めて寝てもらおうかい。儂も目の皮がたるんできた」

軽い口先で追出しにかかったが、於継も加恵も根が生えたように動こうともしない。

「それだけの自信があれば何を躊躇《ためら》うことがあるもんで、え。私を使いよし」

於継は身を乗り出して、今度は説き伏せる姿勢に移っていた。

「いいえ、私を使うて頂かして」

「嫁にさせられることやない」

「なんでよし。親御を使うたら旦那《だんな》さんも何と云われますやら」

「雲平さんがなんで譏《そし》られますものか。私から願《ねご》うてやることやのに」

「それでも私が」

「姑に逆らいなさるかのし」

「事と次第では逆ろうても女の道に外れるとは思いませんのよし」

嫁と姑は今、天下晴れて争うことができるのであった。互いに相手の命をかばいあい、犠牲を自分だけにしようという争いは、この世ならぬ美しいものであると思われた。言葉の中に針を隠しながら、於継も加恵も酔ったように陶然として争い続けた。

青洲は服薬によって死ぬことはないと云ったけれども、そしてそれを二人は少しも疑わなかったけれども、死なずに見事な宙返りを演じた麻沸は、しかし自分から敏捷《びんしょう》に走りまわることはなくなって日がな一日陽溜《ひだま》りのなかでうつらうつらしているだけで、鼠《ねずみ》が鼻先を走ってもあらぬ方を眺《なが》めている。鼠を獲《と》らない猫というのは薄気味の悪い生きものであった。そして数匹ではきかない実験済みの犬猫が今でもなお幽鬼のように、家と庭の区別なくふらりふらり歩きまわっている。まして人間が薬を試した場合に、躰の中の何が壊れてしまうのか皆目分らないだけに、その危険はやはり大きいものだと思わなければならなかった。

目の前で美しい争いを展開している母親と妻の二人を、青洲は憮然《ぶぜん》として眺めていた。男が割り込むことの出来るものではないことを既に知っていた。自分を産んだ女と、自分の子供を産む女との間の、べっとりした黒いわだかまりには、カスパル流の剪刀《せんとう》さえ役に立たない。耐えきれなくなったとき男には咆哮《ほうこう》があるばかりだった。しかし、彼は次第に医者になりつつ女たちの争いを見ていた。そして全く一人の医者になったとき、彼には女の争いは見えず聞えなかった。

「分った」

彼は自分の躰を絞りあげたように云った。云いきったとき、彼の目は涙とは違う、脂《あぶら》ぎったもので光っていた。その太い眉《まゆ》には本然の慾望《よくぼう》を通すという決意が見えた。喉首《のどくび》にある黒子《ほくろ》はびくりとも動かなかった。

「ほな、二人にやってもらう。いずれは欲しい人間の躰やったのや」

加恵はほっとして躰中の力が抜け、目の眩《くら》むのを覚えたが、於継は青洲の決意を締めくくるように、

「二人ともにということであれば、私を先にやって頂きましょうかいの」

と云っていた。

この実験は、門弟の誰にも知らせないことに定められた。小陸にさえも、於継の押えていた持病を治療することになったとまことしやかに云い、事実を知るものは青洲と於継と加恵の三人だけに止められた。

青洲が満足できる薬を作るのに時間がいったので、実験にかかったのは一月後のことである。前日、於継は湯を沸かして念入りに髪を洗い梳《す》いた。加恵は井戸端に出たときそれを認めたが、手伝おうという好意は於継の髪の思いがけず短くなっているのを見て凍りついた。長い間自慢にしていた黒髪が、いつの間にか肩の辺りまでの長さしかなかったのだ。二年前にささやかな還暦の祝いをしたことを加恵は思い出した。どういう手入れが効を奏したのか於継の髪は染めたように黒く、一筋の白毛《しらが》も見えなかった。おそらく白いものは丹念に髪をわけて探し、見つければその都度ひき抜いていたのだろうと思いながらも、加恵のように三十歳半ばでさえも数本の白毛は抜いて

も抜いても生えてくるのに、美しい女というものは髪まで齢をとらないものなのかと内心忌々《いまいま》しく思いながら驚嘆していた。それが、短いのだ。髪が伸びなくなっている。加恵は姑の年齢を感じ躰が震えた。その齢でなんということを云い出したものか。

於継は背中も肩もほとんど露《あらわ》に見せて、湯の中に髪を泳がせては幾度も幾度も洗っていた。ふのり*と美男葛《びなんかずら》*から出た粘液を混ぜた洗湯の中で、短い髪は不気味な展《ひろ》がりを見せ、揉《も》み洗う於継の細い指に黒々と巻きつく。加恵は身動きもせずにそれを見ていた。それは死出の支度に似て悽愴《せいそう》な姿であった。青洲はああ云ったが、やはり於継は心の底で万一の場合の覚悟はしているのだ。粛然としながら加恵は、その万一がきたときの自分の立場というものを考えなければならなかった。親は子の実験に命を供したのに妻が生きながらえるならば、加恵はひとびとの於継を称讃《しょうさん》する声をきいて生《しょう》涯《がい》を終ることになるだろう。だが、加恵は於継の次の番を受持っていた。自分も間もなく、このようにして髪を洗う日がくるのだ、と思うと、於継の後ろ姿に嫁も道連れにしてやろうという意志がありありと読めて、加恵は慄然《りつぜん》とした。

加恵のいるところで青洲に話を切出したのが、何よりその証拠ではないか。加恵は今更のように於継の底意に気がつくと、平然として髪を濯《すす》いでいる姑を、この世でこれほど怖《おそ》ろしい女はいるだろうかと今更のように思った。

小陸が手桶《ておけ》に湯を充《み》たして運んできた。於継は小女にも手伝わせてどんどん湯を沸かさせていたのである。小陸に追われるようにして出てきた斑犬《ぶちいぬ》が、それは鬼馬《きば》と名付けられていたのだが、何を思ったのか加恵の足許《あしもと》にきて小さく吠えた。丁度、姑を見ることに息苦しくなって加恵が家の中に戻ろうと、躰《たい》を返して踏み出したときだった。右足に軟らかいものを踏み潰《つぶ》した感覚が伝わり、鬼馬はけたたましく哭《な》いて飛び上った。あっと飛び退《しさ》ったが間に合わなかった。犬は背中の斑が白い地色に暈《ぼ》けるような速度できりきりと身を廻《まわ》すと、一声高く悲鳴を上げ、口から赤い飛沫《ひまつ》を噴いて斃《たお》れた。

小陸が叫び、両手で顔を掩《おお》った。手桶は落ちて湯が女たちの足許に流れひろがった。加恵はあまりの驚きに驚きが声にならなかった。茫然《ぼうぜん》として、確かに自分が踏み殺した犬を見て全身を硬直させていた。目を瞑《つむ》ることもできない。

「なんちゅうことを、こんなときに。加恵さん、どういうわけで今日という日にそんな酷《むご》いことをしてみせておくれたのかのし」

激しい非難を浴びせられて加恵は吾《われ》に返った。於継の、濡《ぬ》れ髪がばっさりかぶさった蒼白《そうはく》の顔から、水滴が滴《したた》り落ちていた。

翌日の朝早く、青洲の居間に於継の夜具が運びこまれた。加恵が敷き整えた蒲団の上に、寝巻を着た於継は静かに身を横たえた。髪は昨日洗ったまま髪油をたっぷりつけて梳いただけで結っていない。枕《まくら》を外すこともある病人にとって、女が髪を結わないのは心得であった。於継はその上に髪の乱れを防ぐために浅葱《あさぎ》色の紬《つむぎ》の細紐《ほそひも》を額から項《うなじ》にまわして縛っていた。病鉢巻《やまいはちまき》である。左の顳顬《こめかみ》の上で形よく片輪結びにして垂らしてある。

薬湯は青洲自身の手で用意されていた。部屋の中には加恵と於継と三人がいるばかりだった。大きな湯呑《ゆのみ》を両手で持った於継は、静かに息子に聞いた。

「飲んでから、どれほどして効いてくるものですかのし」

「体質によって違う筈やけども、まあ二刻《ふたとき》かからんやろうと思います」

「そうかのし」

青洲も加恵も息を止めている前で、於継は殉教するもののように神々《こうごう》しい横顔を見せて薬湯を飲み干していた。

「思うたほど苦いものやないのやのし」

「飲み易《やす》いように甘草《かんぞう》*を入れてあるんやしてよ」

「これで眠れるのやったら楽なものですわのし」

「しかし強い薬なんやよって、すぐ横になって静かにしてて下さい」

「はい。けども、その前に云うておかんならんことがあります」

「なんですか」

「良平が帰ってきたら、養子にしてほしいんです」

「弟をですかいな」

「そうやしてよし。この家の代継ぎが生れてへんのはなんとしても心懸りや。この甘い薬で死ぬとは夢思いはせんけれども、かねてからの気懸りですよってに、良平を後継ぎにすると決めて頂かして」

「よろしやろ。あれも医学を修めてますのやよってに、儂のええ後とりになってくれますやろかい」

「それ聞いて安心しましたえ」

於継は静かに仰臥《ぎょうが》すると、しばらく髪や浅葱色の鉢巻をいじって寝姿を美しくしようと努めていたが、やがて云われたように目を閉じた。

「苦しかったり、腹が痛み出したりしたら、すぐ云うて下さいや。儂か加恵が必ず傍《ねき》に居ますのやよってに」

於継は黙ったまま、かすかに頷《うなず》いてみせた。青洲の云いつけ通り、興奮することを抑え、無駄《むだ》な力は一切出すまいとしているのであろうけれども、加恵の目には、こんなときにも気取っている於継が滑稽《こっけい》なものに映る。それにしても昨日の髪洗いの途中で加恵を睨《にら》みつけた於継と、こうして瞑目《めいもく》している美しい老女とは、まるで別人のようであった。眼尻《めじり》の小皺《こじわ》こそ目をこらせば見えるものの、その年齢と思いあわせれば口惜《くや》しくても美しいと認めないわけにはいかない。二年前に逝《い》った妹背《いもせ》の母親の死顔と、加恵は心の中で較べてみて、於継の若さをも今更のように感じるのであった。何が於継の若さと美しさをこれまで保ってきたものか、加恵は考えないではいられなかった。あの丹念な手入れだけが、老いることを阻止してきたのであろうか。それだけとは思われない。

患者が来始めていた。青洲は隣の診察室に消えて、於継と加恵と二人になった。薬湯の効きめはなかなか現われない。於継は目をひらかず、加恵も口を噤《つぐ》んでいた。六畳の部屋の中には重苦しい沈黙が一杯に詰っていた。ついこの間まで必ず一匹や二匹の犬か猫が、多いときは数匹も藁蒲団《わらぶとん》の上に寝かされていたのが影をひそめて、二人の女以外には生きものの呼吸が聞えない。しかし過去の実験は、この部屋に様々な臭気を残していた。動物の体臭、薬の匂《にお》い、吐瀉物《としゃぶつ》の臭気、血の匂い。腥《なまぐさ》い、饐《す》えたような、腐りものの匂いは、屍臭《ししゅう》にも似ていて、息苦しかった。姑もまた、やがてこの臭気にまみれてしまうのであろうかと、加恵は瞬《まばた》きもせずに於継の堅く目を閉じた寝顔を見守っていた。

横たわるまえに遺言めかして云った於継の言葉が、思うまいとしても加恵を悩ましていた。末弟の良平を青洲の養子にせよという話である。

小弁を産んでから十年になるのに加恵になんの兆もないのを、この機会に於継は断を下したのであった。加恵は彼女と争うはずみに自分の口から代継ぎを産んでいない負《ひ》けめを口走ってしまった軽はずみを、このときになって胸を掻《か》きむしりたいほど後悔していた。子供が全くいないわけではないのだ。小弁に養子をとるのは当然考えられることではないか。それなのに、青洲の末弟良平を養子にするというのは、この家から加恵を、加恵の血を疎外《そがい》*してしまおうとする意志にほかならなかった。

自分で望んで嫁に迎えておきながら、と加恵は唇《くちびる》を嚙《か》み、於継の寝顔を睨みつけた。憎さのあまり当てつけに薬を飲み、加恵まで道連れにしようというのだ。於継は云う通り老先の短い躰《からだ》だろうが、加恵には幼い小弁がいた。もし加恵に万一のことがあったときには、小弁を嫁に出すまでの世話は、誰がするというのだ。小弁の将来を思うと加恵は躰の芯《しん》が震えてくる。

於継の色白な頰《ほお》に急に赤味がさし、呼吸が俄《にわ》かに荒くなった。薄目をあけたが加恵が見ていると気付くと、反射的に瞼《まぶた》を閉じて苦しみに耐えようとしている。加恵はすぐ青洲を呼びに立った。変化があればただちに知らせるようにと云われていた。

青洲は於継の脈をみながら聞いた。

「苦しいですか」

「いいえ。躰がなんや熱うになって、のし」

「この薬飲めばそうなるのが当り前なんですよって心配せんといて下さい」

「私は何も心配してませんのよし。何も云わなんだのに加恵さんが呼びに行たんやしてよし」

患者たちは詰めかけていた。近頃《ちかごろ》は遠くから平山の民家に寄寓《きぐう》して、青洲の治療を仰ぎに毎日通っている者も多い。青洲は、あたふたと診療室に戻って行ってしまった。

小半刻《こはんとき》もすると、於継は熱さに耐えきれなくなったのか悶《もだ》えだした。

「お苦しかのし、お母《か》はん」

加恵が聞いたのに返事がない。加恵は於継の手首を摑《つか》んで脈をみようとした。小弁が風邪をひいたときなど、見よう見真似《みまね》で脈のとり方は覚えていた。が、於継は邪慳《じやけん》にそれを振払い、呻《うな》り声をあげて全身を弓なりに曲げ、枕を外し、掛蒲団を蹴《け》り、胸を掻きむしって暴れ出した。

加恵が呼びに立とうとしたとき、青洲が唐紙をひいて入ってきた。

「お母はん、お母はん」

両腕の付根を押えこんで、呼びかけると、於継ははっと我に返って赤い目で青洲を見た。

「雲平さん」

「お母はん、苦しいですか」

「いいえな。なんや跳ねまわりたいだけで、苦しい方はどうでも我慢がなりますよし」

「それなら大丈夫です」

「雲平さん」

「なによし」

「雲平さんは私の子オやのし」

「そうですがな」

「雲平さんは私だけの子オやしてよし」

「その通りですわいな」

青洲は子供をあやすように相手をしながら、苦笑まじりで応《こた》えて、やがて於継が鎮《しず》まると、また診療室へ立って行った。

於継の呼吸は激しく、幾度も軽い痙攣《けいれん》を続けていた。加恵はそれを平然として見守りながら、青洲を自分一人だけのものだと狂いながら云いはっていた於継を思い出していた。息子は嫁のものではない、産んだ母親のものなのだと、意識が奪われるときにただ一つ残った主張を、加恵は聞き逃していない。小弁を産んだときのことを加恵は思い出していた。激しい痛みと闘いながら、最後は自分の命と引きかえるように躰中の力を振絞って産み落した子供なのだ。初産《ういざん》の痛みが一番強く、その記憶だけは残るというから、於継にとって他の誰よりも青洲は自分一人のものにしておきたい子供なのであろうかと、加恵は次第に平静さを取戻して姑を見ることができるようになっていた。同じように、この華岡の家の子を産んだという体験を想《おも》うときだけ加恵は於継に対して心を平らかにすることができるのであった。於勝が死んだときも、もし小弁に同じことが起ったらと思い、嫁のひがみや恨みを忘れて於継の悲しみが分るように思ったのに、あのときは於継が加恵の心を汲《く》む気配もなく、二人の仲は一層険悪なままで何年かが過ぎていた。

が、こうして次第に麻酔の中に落込んでいく於継の様子を見守っていると、加恵は青洲をただ自分だけの子だと云い張った姑に哀れをこそ覚えても、日頃の憎しみや、この実験に自分をも引張りこんだ恨みは薄れていくようであった。ひょっとすると姑は死ぬのかもしれない。死なないまでも実験に使った犬や猫のように痴呆《ちほう》の生涯しか残されないかもしれない。そういう予想が加恵の心を戦《おのの》かせ、日頃の憎悪《ぞうお》を一刻《いっとき》忘れさせた。

於継の躰は、いつかだらりと弛緩《しかん》して動かなくなっていた。顔の火照《ほて》りがひき、蠟《ろう》のように色白で艶《つや》やかな肌《はだ》に戻っていた。加恵はそっと脈をとった。脈搏《みゃくはく》は正常である。もう加恵に触れられることを厭《いと》う意志も眠っているようであった。

「のし、お母はん」

耳の傍《そば》で呼んだが返事もなく、そして聴覚も全く眠っている証拠には躰のどこも動かなかった。

先刻もがき暴れたのがそのままになって、於継の胸ははだけ、しなびた乳房がぶざまに現われ出ていた。藍《あい》色の冴《さ》えた寝巻と、色白の肌の対照が、痩《や》せた乳房を一層力ない弱々しい生きものに見せていた。加恵は青洲を呼びに立つ前に、姑の全身を身づくろいさせた。衿《えり》をあわせ、あられもなく蒲団を蹴って開いたままの股《また》を閉じさせ、寝巻の裾《すそ》でかたく巻き包んだ。於継の小さな白い足の指が、ひどくなまなましいものに見えた。

完全に麻酔がききめをあらわしたと思われたのはもう真昼に近く、加恵が青洲にそ

の旨《むね》を伝えると、ちょっと様子を覗《のぞ》いてみてから先に昼食をとると云った。その落着きに加恵は驚いて、

「ほんまに大事《だん》ないのでございますかのし。あない暴れてなしたのに、後でお躰に障るようなことは」

と聞くと、青洲はこともなげに、

「ああ危険は全くないのや。曼陀羅華《まんだらげ》を少量入れてはあるけれども、毒消しに蜘蛛《くも》を混ぜたし、それに烏頭《うず》は使うてへん。焼酎《しょうちゅう》に溶いて飲んでもうたよって、あれは酔うて眠っているほどのことや」

と、云って加恵を落胆させた。

落胆。加恵は最前、於継に対して心を寄せたことを早くも後悔していた。猛毒の烏頭を使ってないと聞いただけで、加恵は於継が簡単に助かるものと確信し、がっかりすると同時に、青洲は自分ひとりのものだと云い張った姑《しゅうとめ》に再び憎しみがほとばしり出るのを覚えた。寝はだけていたぶざまさまで、忌々《いまいま》しく思い返せた。あのままにしておけばよかった。目がさめたとき、あの洒落者《しゃれもの》の於継はどんなに恥じ入ったろう。

悠々《ゆうゆう》として昼食を摂《と》り終った青洲は、母親の枕許に坐ると脈をとりながら、

「お母はん、お母はん」

と、かなり大声で呼んだ。

於継は身動きもしない。浅葱の病鉢巻は最前加恵が形よく結び直したばかりであった。

「動いたな」

青洲が呟《つぶや》く。加恵はそれをきいて、薬湯の中身は青洲が云ったほど簡単なものではなかったのではないかと思った。

青洲の手が掛蒲団をはいだ。そして加恵が両脚に巻きつけた寝巻の裾をひらいたのである。何をするかと驚き、息を止めている加恵の目の前で、青洲の手は母親の内股をまさぐり、やがて止った。

「ううむ」

と於継が呻《うめ》いて躰を動かした。青洲は躰の中で最も敏感な内腿《うちもも》を捻《つね》ったのであった。

「やっぱり弱い。もう一刻すれば眼《め》をあくか躰を自分から動かすやろ。そのときになったら呼んでくれ」

青洲はすぐ診療室へ立ったが、加恵は返事をするのを忘れていた。魂が動顛《どうてん》していた。夫が、別の女の裾に手を入れるところを妻は見ていたのだ。加恵はまるで自分の躰に逆鉋《さかがんな》*をかけたように青洲との夜の記憶を思い出し、身震いを続けていた。この目の前に横たわっているのが、青洲の母親であり、青洲は医者であって、全く昏睡《こんすい》しているかどうかをみるにはその部分が一番確実な場所だという考えは浮んでも、今の加恵を鎮めることにはならなかった。こんなことがあっていいものだろうか。於継は青洲の手が離れると、すぐ何事もなかったように静かな眠りを続けていた。その安らかな寝顔は、まるで満ち足りたもののようであった。意識を失っているのではなく、息子に内股を探られたことも、そのとき加恵がそれを見ていたことも知りぬいているのではないか。知っていて眠っているのだ。いい気持で眠っているふりをしているのだ。加恵にはそうとしか思われなかった。

青洲の言葉通り一刻たつかたたないうちに、於継は目をひらいた。眩《まぶ》しそうな目で辺りを見てから加恵に気がつくと、世にも優しい声を出して聞いた。

「どのかい眠ってましたのよし」

「二刻あまりでございましたよし」

「そうかのし。何も知らんと、よう効く薬ですのし」

満足しきって於継はまた目を閉じた。加恵は叫びたかった。於継の飲んだ薬には強い薬は何も入っていず、麻酔は不完全で錐《きり》で刺すどころか指先で捻ったただけでも於継は動いたのだと。だが隣室には青洲がいる。加恵は云いたくても云えなかった。

目をさましたことを夫に告げなければならない。

用意してあったのか青洲は大きな茶盌《ちゃわん》を持って部屋に入ってくると、

「お母はん」

と呼んだ。

「はい。実験はもう済みましたかのし」

「済みました。頭が痛いことありませんか」

「いいえ、ちょっとも痛みまへんよし」

「目ははっきり見えますのう」

「見えませいでか」

「ほな、大丈夫ですわ。ちょっと起きて、これを」

青洲の持っている茶盌に目を止めると、於継は黙って半身を起そうとした。が、さすがにひとりで起きるのは辛《つら》そうだった。加恵は背後に廻《まわ》って助け起した。於継は何を満足しているのか、加恵の腕の中に躰の重みをまかせきって、少しも嫌《いと》わない。

「またお薬ですかのし」

「いや、今度のは気付け薬です。茶を濃く煮出してありますよって渋いかしらんが、小半刻たたずに気が晴れますよ」

於継は幾度かにわけて茶盌をあけた。熱で発汗していたから喉《のど》も渇いていたのであろう。

「私はなんともありませんよし。大成功ですやないの、雲平さん」

於継はこの上ない美しい笑顔を向けて息子を見上げた。

「はい。おかげさんです」

青洲は鄭重《ていちょう》に頭を下げた。

加恵はこの二人のやりとりを見て、声をあげて笑い出したかった。もし一度笑い出せば、一日や二日では笑いが止るまいとも思われた。が、於継を嘲《あざけ》ることは夫への無礼となり、それは本意になかった。加恵は顔を伏せて、慎《つつ》ましやかな嫁であることを装っていた。
二、三日は横になっているように。食事は胃に負担をかけないように、重湯から始めて起きるまでに平常食へ戻すとよい、と青洲は注意を与えてから、また診療室へ立った。怪我人《けがにん》が運びこまれたらしく、玄関口が騒々しくなっていた。
於継は上機嫌で再び床に横たわった。

「加恵さん」

こんな優しい声で嫁に呼びかけたのは、何年ぶりのことであったろうか。

「私の具合を見ていて、加恵さんも安心したやろのし。怖《おそ》ろしことはちょっともありませんよし。ひょっとすると、もうあなたが飲んでみる必要はないんと違いますやろか」

この優越の前で、加恵の慎みはもう少しで綻《ほころ》びるところであった。さあ、それはどうですやろかのし。お母はんはお齢やよって、強いものは何一つ混ぜなんだのやと仰《おっ》言《しゃ》ってましたよってにのし。ほんまの実験は、私のときになるんと違いますやろかのし。

だが加恵の口は堅く閉じていて、代りに本物の口は調子よく姑の言葉に応じていた。

「ほんまにそうかしれませんのし。お母はんが御無事で、私はほんまに安心いたしましたよし」

十一

人体実験のことは他に洩《も》らすまいと申合せてあったのに、嬉《うれ》しさの余りにかどうか於《お》継《つぎ》は小陸にも妹《いも》背《せ》米《よね》次《じ》郎《ろう》にも自分の口から話していた。だから十日たたないうちに門弟たちは総《すべ》て知って、その勇敢な母親を畏《い》敬《けい》の目で見るようになった。

そんなことも手伝って、加恵は青洲《せいしゅう》と二人だけになると掻《か》き口説《くど》くように自分を実験に使うようにと迫ったのである。

「お母《か》はんは何も御存じないのやしてよし。それで成功した成功したと、あないに触れまわられたら、困りなさるのは旦那《だんな》さんやしてよし。もし、その薬を使《つこ》うて手術してほしというお人が出てきなしたらどうなさるおつもりよし」

「うむ」

「私はこうなればあなたのお名前を守るためにも、どんな強い薬でも怖《おそ》ろしとは思いませんよし。指で捻《つね》っただけで目の醒《さ》めるようなものでは実験とは云《い》えますまいがのし。白煎《びゃくせん》も鬼馬《きば》も錐《きり》で躰《からだ》中突刺されても哭《な》きも動きもせなんだやございませんか」

「うむ。曼陀羅華《まんだらげ》も一分ほどほか使うてなんだし、白芷《びゃくし》も烏頭《うず》も入れなんだよってにの。やはり曼陀羅華は八分以上、烏頭は二分混ぜやんことには人間には足りんと思うのや」

「それで私を試して頂かして、のし」

「うむ」

青洲は迷っていた。が、妻の哀願はしつこいまでに続いたし、母親が麻酔薬の完成と早呑《はやの》み込みしているのがいたく医者の心を忸怩《じくじ》とさせていた。

半年を経てようやく、彼は第二回の、いや本当の意味では第一回の実験にとりかかった。於継を験《ため》したことによって、青洲は自分の希求する心の押えを取り外していた。もはや人体実験の相手の心を斟酌《しんしゃく》する余裕は失われ、青洲の念頭にあるのは純粋に医者の欲望《よくぼう》だけだったと云っていい。加恵が念を押すまでもなく、彼が調製し始めた薬湯の中には、曼陀羅華の花も種も於継に飲ませたのとは比較にならないほど多量に投入されていた。その他、猛毒の草烏頭、白芷、川芎《せんきゅう》、鬼馬草などが少量ずつ加えられた。青洲は克明に薬品の名と分量を帳面に書きこみ、服用後の加恵の状態を記入するために余白の部分をひろげて寝具の傍に置いた。

加恵は前日、髪を洗った。於継に倣《なら》ったわけではない。あれから半年たって、今度加恵に薬を飲ませてみると青洲が云い出したときの於継の落胆ぶりを思い出していた。於継とは較《くら》べものにならない長い長い髪を、加恵は秋の陽《ひ》ざしの中で悠々《ゆうゆう》と解いて洗い、小弁に手伝わせて幾度も濯《すす》いだ。十歳になる娘が無心に加恵の毛先を揉《も》み洗いながら、

「長い髪やの。私のはいつになったらこないになるのやろか」

と云うのをきいていると、加恵はひょっとするとこれが親子の別れになるかもしれないと、熱いものがこみ上げた。

「お母はん、なんで泣いてるん」

「汚れ水が目に入ったんやしてよし」

滴の垂れないように乾いた布でしっかりと髪を拭き上げると、背後に人影が動いたような気がした。

「今そこに誰《だれ》どいたかのし」

「ふん、お婆《ば》やんがじっと見てなしたわ」

「そうかのし」

泣いたところを見られたのかと気がつくと、加恵の全身に闘志が漲《みなぎ》ってきた。小弁に対しても、気丈な心を取戻《とりもど》していた。

床に横たわるとき、加恵は晒木綿《さらしもめん》の紐《ひも》を数本用意していた。青洲が治療に使う巻木綿をとった残りの布をくけて作っていたのである。加恵はそれで膝頭《ひざがしら》をあわせてその下を縛り、足首を縛り、その上にゆっくりと寝巻の裾《すそ》を重ねた。地士《じざむらい》ではあったが妹背家では武士のたしなみを躾《しつ》けていて、加恵も小太刀をほんの少々使うのだが、その手ほどきに当って御殿奉公をしたことのある祖母が彼女に教えたのは自害するときの心得であった。紐の縛り場所と縛り方はそのとき習った通りにしていた。細腰*も寝巻の外から幾重にも巻いて、結び目のないように紐の先を下の紐に押しこむようにして結んだ。これはどんなにもがいても逆にしまることはあっても、絶対に解けない結び方なのだと祖母から聞かされていた。こうしておけば、薬のきいたあと於継の手で身じまいを直される心配はなかった。それでも加恵の悶《もだ》えを見れば、利口な於継が自分が姿を乱したことに気がつかない筈《はず》はない。加恵は前日の晩の食事は抜いていた。薬を飲んで吐くようなことがあってはならないと思ったからである。空腹のために薬のまわりが早くなることも考えていた。万全の準備をしてから、加恵は夫に与えられた薬湯に口をつけた。

やはり口当りのいいようにと甘草《かんぞう》で味付けがしてあるらしかったが、義理にも苦くないとは云えるものではなかった。

「息を止めて飲みなされ。そうすればすうと喉《のど》を通りますよし」

於継が先輩としての親切な注意を与えたが、於継の飲んだものとは中身が全く違うのだ。加恵は黙って、眉《まゆ》をひそめたまま三回に分けて飲んだ。舌も喉も強い刺戟《しげき》を受けて、口をきいてもかすれた声しか出ない。

「水がほしいか」

青洲が聞き、加恵は反射的に頷《うなず》いていた。舌も喉も灼《や》けるようだ。

「お母はん、汲《く》んでやって頂かしてよ」

於継はすぐ立って戻ってきたが、明らかに嫁に使いだてされた不愉快を覚えているらしかった。於継のときに、青洲はこの心遣いを見せなかったのも思い出していた。

だが加恵は、それを小気味よく思う余裕ももはやなかった。与えられた水を加恵は渇いた犬のように飲み、呻《うめ》き声をあげた。於継のときのように、沈着に遺言をするような余裕はなかった。全身の血がもう荒れ狂っている。顔も耳も燃えているように熱く、胃の腑《ふ》が灼け爛《ただ》れているのが分る。

「小弁を、小弁を」

宙を掻きながら加恵は夫に云った。

「うん、なんや」

「小弁を、お頼んします」

「大丈夫や、死にはせん」

「それでも、小弁を」

「分った、分った」

「小弁は、あなたの子供ですよって」

「分ってるがな」

「頼みますよし」

「よっしゃ」

覗《のぞ》きこんでいる青洲の顔を、加恵は苦しみの中で頼もしく見た。嬉《うれ》しかった。意識を失う瞬間、青洲の喉首にある大きな黒子《ほくろ》が、はっきりと見えた。於継がいることはこのとき加恵の念頭には毛ほども浮ばなかった。まして於継が、良平を養子に迎えるように云い残したのに対抗して加恵が小弁の存在を強調したと邪推しようとは、夢にも思わなかった。勿論《もちろん》、無意識の裡《うち》にそうしたものがあったことにも気がつかない。

薬湯の効果は於継のときとは較べものにならないほど早く現われた。加恵の躰に熱が溢《あふ》れ、言葉にならない喚《わめ》き声が隣室で治療を受けている患者たちを脅《おび》やかしたことも、妙寺の下村良庵《しもむらりょうあん》が呼ばれて青洲の代診を勤め、青洲はつききりで加恵の枕許《まくらもと》にいたことも、加恵は何も知らない。最初の半日、熱と狂気に魘《うな》され続けたあと、加恵は昏々《こんこん》と眠り続けた。二晩と三日、眠り続けた。解毒剤《げどくざい》の黒豆の煮汁《にじる》を用意した青洲は、加恵の手首を握って脈搏《みゃくはく》を数え、克明な記録を取り、並べて自分の床は敷かせても、殆《ほと》ど目覚めて様子を見ていた。於継もまた帯を解かずに、昏睡《こんすい》している嫁の寝顔と、目を血走らせている息子の有様を息を殺して見較べていた。

於勝《おかつ》の通夜以来謹慎して、華岡《はなおか》家に出入りしていなかった下村良庵は、久々で師の家に迎えられた喜びも束《つか》の間に、青洲が取りかかっている実験の怖ろしさに顔色を変えていた。若い門弟たちと違って、彼は薬物の知識にはより精通していたから、米次郎たちの口から加恵の服用した薬湯の内容に察しをつけたのである。が、もう飲んでしまった後では止めだてすることも何もできなかった。彼は加恵が嫁入る以前からこの家にいた男だったから、あの平凡な女のどこにそうした烈《はげ》しい犠牲の精神が宿っていたのかと驚いていた。まして加恵から望んでしたことだと聞くと一層であった。

三日目の朝、良庵は部屋から出てきた於継にたまりかねて聞いた。

「こないに眠り続けては、三日断食しても躰は衰弱するものやよってにのし。もう目エ覚まさせやなんだら、えらいことになるのとは違いますやろか」

目を血走らせ、鬼気を孕《はら》んでいる青洲自身には云えなかったのである。

「さあ、よし」

於継も心がすっかり弱ってきていた。が、その混乱の内容は、良庵も理解することはできなかった。

「加恵さんは死ねば本望らしいけれども、死なれて一番困るのは私やろのし。誰よりも嫁が助かるのを念じているのは私やろのし。けども雲平さんに考えあってのことを、口出しもできず、私は身を切られるより辛《つら》いのよし。察して頂かして。私のときには二刻《とき》ほどで目エ醒めましたのに、加恵さんの躰は麻酔には殊《こと》の外弱いのと違いますやろか。実験のためには、用立ちませんわのし。私はもう嫁に障りのないように神仏に手を合わせているほかありませんのよし。私が云うたように、私だけ使うて幾度でも実験していれば、このような想《おも》いはあろまいかと思うてのし、けども止めても止らずに、嫁が勝手に飲んでしもうたのやしてよし。よけいなことを。ああそやけどのし、良庵さんも加恵を褒《ほ》めてやって頂かしてよ。どうぞ無事にと祈ってやって頂かして。けど雲平さんには、気に入った嫁やなかったのやないかと、私は心懸りやしてよし。私が出向いて名手《なて》本陣から貰《もろ》うた嫁に、もしものことがあったら、のし、良庵さん。私も生きてはいられませんよし」

良庵は呆気《あっけ》にとられてきき、怜悧《れいり》な彼女が見込んで加恵を嫁にした経緯を知っていただけに、ただ嫁の身を案じている姑《しゅうとめ》が苦しみのあまり取乱しているのだとだけ察した。良庵自身は自分の母親と妻との小ぜり合いに悩まされていたから、世の中にはなんという美しい姑と嫁の関係があるものだろうかと感心した。青洲が取組んでいる麻酔薬の研究の意義がどんなに大きなものかを知っている良庵には、実験台になろうとして、順を争った母と妻というものは、この世ならぬ美談としか思えなかった。彼は深々と頭を下げ、恩師の妻に疲れが出てはいけないから別室で休むようにと云った。

「御《ご》っさんのお躰もさることながら、大御《おおご》っさん*が御心配のあまり御病気にでもなられたら、それこそ事ですよってに」

「とんでもない、横になって眠れるほどのことですかのし。私には医術の心得こそなけれ、雲平さんと心を合わせて成功を念じていたいのです。私は母親ですよってにのし。それにしてもおかしいのは、私のときは成功やったのに、なんでまた嫁に三日も眠るような薬湯を飲ませたのですやろうか。薬の効きめを試すときは、私はもう見ていられませんよし」

見ていられないという声が急に癇《かん》が高ぶったので、良庵は驚いて聞いた。

「錐を使うてなさるんかのし」

麻酔の実験用に使った犬猫《ねこ》が、躰に錐を揉みこまれるのは数箇所できかない。加恵の躰にまで同じことをしているのかと思って、良庵はもう一度顔色を変えた。

「いいえな」

「ほなら、何を使うてなさるんです」

「錐やないのですよし」

於継はふいに不機嫌《ふきげん》になって口を噤《つぐ》み、彼方へ行ってしまった。取りつく島もなかったが、於継の様子がもうまったく異常な理由は分るような気がしたから、良庵はそれを別に不思議とも思わなかった。於継も青洲も二人とも同じように目が吊上《つりあが》ってしまっているのだ。二人とも食事が喉に通らず、不眠と極度の緊張のために、二晩すぎた今日はげっそりとやつれ果てていた。青洲にいたっては、話しかけても何も聞えないようだったし、朝晩の挨拶《あいさつ》に門弟たちが頭を下げてもまるで見えないのか、眠っている加恵の顔をじっと覗きこんでいて振返りもしない。患者たちには何事も知らせまいとしていたが、家の中には隅々《すみずみ》まで異様な緊張があった。

加恵がうっすらと目を醒ましたのは三日目の夕刻であった。

「加恵、気イ付いたか」

青洲が喜びを押し殺したような小声で聞くと、ぼんやり夫を見てかすかに頷いたが、すぐまた目を閉じてしまった。全身がけだるく意識は朦朧《もうろう》としている。手も足も床に縛りつけられたように動けなかった。

青洲が人の入るのを嫌《きら》うので、部屋の中にいたのは他《ほか》には於継だけであった。彼女は嫁と息子の両方を見るために、寝ている加恵を挟《はさ》んで青洲の向う側に、しかし正面は避けて蒲団《ふとん》の裾の方に坐《すわ》っていた。青洲の表情を於継は複雑な想《おも》いで見詰めていた。加恵が助からなければ息子の実験は、犬猫の場合とは比較にならない大きな失敗になる。患者も潮の退《ひ》くように来なくなるだろうし、悪くすればお咎《とが》めを受けて華岡の家も終るだろう。だから加恵が醒めることを、於継は良庵に語った通り神仏に祈り続けていた。が、三日も昏睡したままの嫁の躰を捻って、青洲が麻酔効果を試す度に、於継は頭に血の上るような嫉妬《しっと》を覚えていた。そのときには、憎しみが、加恵の死をさえ念じていた。惑乱の中で、於継は加恵の目覚めを迎えたのであった。嫁に呼びかけた青洲の顔に現われた喜色を、於継はすぐ共に喜ぶ気にはなれなかった。だが彼女は身をのり出して加恵の様子を見ようとし、次の瞬間には蒼白《そうはく》になっていた。

青洲は枕許にあった薬湯を口に含むと、加恵の唇《くちびる》にそれを当て、口移しに解毒剤を飲ませた。少量の甘草で味つけした黒豆の煮汁を、加恵は夢の中で吸うようにして飲み、幾度も幾度も繰返されるうちにようやく、それが夫の唇から注ぎこまれていることに気付いていた。痺《しび》れていた舌が、夫の唇の中で動くと、青洲もまたそれに応《こた》えた。茫然《ぼうぜん》としている於継の前で、夫婦の愛は執拗《しつよう》に繰返された。用意されてあったかなり大量の解毒剤を飲み終ると、加恵は満足したように再び昏々と深い眠りに沈んでいった。

妻の脈をとりながら、じっとその様子を見守っていた青洲は顔を上げると、子供が母親に手柄顔《てがらがお》を見せるときと同じように、目を輝かせて於継にいった。

「お母《か》はん、もう大丈夫ですわ。あと一刻も眠ったら、口がきけるようになりましょうかい。ああ、これで一安心や」

しかし於継は応えなかった。彼女は息子の口のまわりがどっぷりと黒豆の煮汁で染まっているのを、怪物の喚きを見るように肌《はだ》に粟《あわ》を覚えながら眺《なが》めていた。

「ゆきひらで、うまい粥《かゆ》をつくってやって頂かしてよ。卵の黄身も三つほど用意してやってよ。なんせ三日二晩、加恵は飲まず喰《く》わずやったんやよってのう」

「雲平さんかて、ろくに何も上ってませんよし」

かすれた声で於継が云った。

「そうやった。ほなら儂《わし》もここで食べましょうかい」

「同しものをかいし」

「絶食のあとは粥から始めた方がよろしんですわ。ああそうや、茶粥がええ。加恵に早いとこ精をつけやないかんよってにのう。儂も卵をもらいますでえ。儂も加恵と一緒に生《なま》で飲むことにしますわ」

青洲は嬉しさが刻々ふくらんでくるのを手放しにして、大きな声をあげて笑った。

於継は胸のつぶれる思いで厨《くりや》に立った。自分が目覚めたときと、青洲の態度が明らかに違う。於継は米櫃《こめびつ》から二握りの米をゆきひらにさらさらと落しながら、自分も青洲と同じようにこの三日というものは何一つ食べていないのを想っていた。だが青洲は三人で食べようとは云わなかった。井戸端へ出て、一粒も流さないように丁寧に米を研《と》ぎながら、於継はそんなことをしている自分の惨《みじ》めさに耐えきれず涙を流した。加恵の裾を幾度もめくり上げて中に手を入れた青洲の姿と、口移しに薬を飲ませていた姿が、記憶の中で狂いまわっている。

それを見咎めたのは米次郎であった。於継は指の荒れるのを厭《いと》って水仕事だけは一切しない女であったから、小女も小陸も家にいるとき米を研いでいるだけでも常と違うのに、おまけに肩をふるわせて泣いているのだ。

「どないなしたんよし」

問われて見上げた於継の両眼から涙が噴きこぼれた。

「加恵さんが目エ醒ましたんやしてよし。雲平さんが大喜びしてのし。二人で粥を一緒に頂くというのやしてよし。二人で、のし」

声が嗚咽《おえつ》に変り、於継は崩折れるようにして泣き伏していた。

米次郎は宙を飛ぶようにして書生部屋に駈《か》けこんだ。

「御《ご》っさんが目エ醒ましたそうなやで。実験は大成功やったらし。大御っさんが嬉し泣きをしてなさるわ。早速に粥の用意をしてなさるんや。泣きながら米研いでなさったわ」

狭い部屋の中にどよめきが起った。なかなか言葉にはならない感動を最初に口にしたのは、最年長の下村良庵であった。

「そうか、よかったのう」

深い息を吐いてから、彼は云った。

「大御っさんといい、御っさんといい、医家の女《おなご》の亀鑑《かがみ》*やないか。一人の成功のためには家をあげて命がけなのや。ほんまに尊いことや」

誰にも異議はなかった。みな深く頷きあいながら、しかし、その後にはしばらく沈黙が続いた。中川脩亭がおぼつかなげに云い出した。

「三日も眠り続けでは、手術のあとの患者の体力回復にはちょっと長過ぎるのと違うだろうか」

門弟たちは一様に息を止めた。誰も答えるものはなかった。青洲の性格を知悉《ちしつ》している彼らは、人体実験がこれで終ったとは考えていなかった。これらの若い医者たちは、加恵が目をさましただけでは単純に喜びきれなかった。

しかし加恵に食べさせながら、自身も音をたてて丼《どんぶり》から粥を啜《すす》っていた青洲はまだ上機嫌で喋《しゃべ》り続けていた。

「夢は見なんだか、ほうか、見なんだか」

加恵はまだ身動きがならず、辛うじて目と口が自由になるだけだった。だから、青洲はひとりで聞き、自分で返事をしていた。

「頭痛はせんか。割れるように痛いことはないか。ほうか、ほうか」

茶粥に卵黄を混ぜて匙《さじ》で妻の口に運んでやりながら、青洲は忙しく箸《はし》を筆に持ちかえては帳面に細かく記録をとる。

「躰の具合はどないや。重いか。動かせんやろ。いや、動いたらあかん。足も重かろう。上るまい、いや無理して上げてはいかん。関節に痛みはないか。ない。ほうか、ほうか」

加恵には当然青洲ほどの食慾《しょくよく》はなかった。卵黄一個と五匙ほどの粥が喉を通ったのも、夫の手ずからの介抱があまりにも嬉しかったからである。それに、於継の前であった。食べられるものならば、もっと食べて姑に見せつけたかった。

「ところで加恵、お前の紐の結び方は誰に習《なろ》うたんよ」

青洲は帳面に書込みを終ると寛《くつろ》いだのか話題を変えた。その言葉で加恵は夫が加恵の脚を縛った紐を見たのを知り、予期はしていたが仄《ほの》かに恥じらいを覚えた。

「無理して答えいでもええで。頭に響くといかんよってにの」

「いえ、大丈夫ですよし」

小さな声で加恵は云った。

「お祖母《ばあ》さんから、武家の女のたしなみやというて習うたものでございますよし」

「なんという結び方よ」

「さあ、それは聞きませなんだよし。ただ動けばいよいよ締ることはあっても決して解けることはないと教わりましたよし」

「うむ。やってみようかい」

青洲は振返って母親に手頃《てごろ》の紐はないかと聞いた。於継は咄嗟《とっさ》に自分の腰紐を解こうとしたが、思い直して部屋を出て、奥納戸《おくなんど》へ行くともう一度元へ思い直して自分の腰紐をとり、代りは古いのを行李《こうり》の底から出して着付け直した。

まだ於継の体温が残っている腰紐を受取ると、青洲は加恵の枕許に両脚を投出して妻に見せながら、

「こうやな。ここでま一度締めるのやな」

と膝頭を縛った。右と左の紐の端を一度ひねって、逆にもう一度ひねればこま結びになるのを逆にせずにもう一度片方の紐を同じ方向にくぐらせて紐の両端を左右に引くと、紐は結び玉を作らずに強くぎりぎりと締って、膝頭に力を入れても容易なことではゆるまない。青洲は着物の裾をすっかりはだけて、

「うん、なるほど。うん、なるほど」

ほどいては縛り、縛っては解き、玩具《おもちゃ》に熱中する子供のように幾度も幾度もそれを繰返した。

「お母《か》はん、これはなんでもないことのようやけど、智恵《ちえ》のある結び方やで。カスパル流にも、これはないんですわ。止血にも早手間で役に立つ。さすがに武家の女《おなご》は、よう考えたものやのう」

無邪気な青洲の喜びの前で、

「ほんまにそうですのし」

於継は端然として微笑しながら答えた。思いきり泣いたあとでさっぱりした彼女は、持前の自信と気丈さを今では完全に取戻していた。

それは、次は私の番だという決意と確信に他ならなかった。

加恵が正常な健康状態に戻るには半月近くかかった。いやそれより、自分で起きて厠《かわや》に立てるようになるまでにも七日かかった。それまでの下の世話は於継が甲斐々々《かいがい》しくやり、小弁で充分役に立つからと断わっても断わっても於継が承知しなかった。加恵にとって何よりの苦痛であった。誰が見てもこれ以上優しく嫁を労《いたわ》る姑というものはあるまいと思うだろう。於継は優しく、この上なく優しく、三日二晩の間に彼女がどれほど加恵の無事を念じていたかを子守唄《こもりうた》のように繰返して語った。

「三日二晩もたってますのかのし。まあ、お母はんは半日たらずでお目が醒《さ》めなしたのにのし。えらい御心配おかけして、ほんまにすまんことでございましたよし」

加恵は口ではこう云いながら、薬湯の内容の違いに於継が気がついているかどうか自分で確かめずにはいられなかった。

半日で醒めたと云われた於継は、しかし次の機会を信じていたから傷つかなかった。彼女は平然として嫁の優越感を受け流した。

誰が見ても実の親と娘のように睦《むっ》みあい、労りあっているとしか思われない仲で、言葉にも動作にも現われない敵意はいよいよ研ぎ澄まされていった。それは姑と嫁の宿業《しゅくごう》＊だけではなく、おそらく周囲の者たちにも責任があったかもしれない。門弟たちはかわるがわる加恵の見舞いに現われては、師の妻に心から尊敬を示すのに於継の前を憚《はばか》らなかった。つい先日まで於継に捧《ささ》げられていた畏《い》敬《けい》に較べて、そこには半日と三日二晩との差が明らかに現われていた。加恵を看病する於継の態度は次第に変化してゆき、加恵は無理をしてでも早く起きて於継の冷たい手から逃れたいと思っていた。

厠に初めて立った日、加恵は壁によりかかって躰を支えながら、寝巻の裾を自分でめくり上げた。薬の効き始めによほどひどく暴れたのだろう、膝《ひざ》の下と足首の、例の縛り方をした箇所には青痣《あおあざ》が残っていた。加恵は、そろそろと用心深く脚をひらくと、目が醒めたときからずっと気にかけていた内股《うちまた》のところを覗き見た。あった。白い内《うち》腿《もも》の肌の上に、周囲が黄色く暈《ぼ》けた赤紫色の指の痕《あと》が、三箇所もついていた。青洲はやはり同じことをして試したのだ。母親の目の前で、妻の内股に手を入れたのだ。厠の臭気が加恵の顔に吹き上げ、頭を垂れていた加恵の躰は重心をとりかねてぐらりと揺れると、手で支えていた壁と反対側に大きな音を立てて倒れた。

物音に驚いて小陸が助けに来たが、

「大丈夫かのし、嫂《あね》さん」

と問いかける小姑《こじゅうと》に、加恵は蒼白《あおじろ》い顔に満足そうな微笑を浮べたまま、

「大丈夫やしてよし、私は大丈夫なやしてよし」

と、しっかりと答えていた。小陸がその顔を、おぞましいものを見るように怯《おび》えた目をして見守っているのには気がつかなかった。

於継に勝ったのだと思っていた。全身の衰弱から立直るには随分時間がかかったけれども、しかし加恵は少しも辛いとは思わなかった。

十二

暦の上に春は立って、井戸の水は指先に快い冷たさだった。両掌《りょうて》の中は赤くなっていたが、加恵は勢いよく洗いものを揉《も》みぬいていた。抑えても抑えても喉《のど》の奥から笑い声が洩《も》れる。明るい笑いであった。思い出し笑いは慎みを欠くことだとは知っていたが、誰《だれ》も井戸端にはいないし、加恵は生れてからこんな滑稽《こっけい》な経験をしたことはなかったので、こみあげてくる可笑《おか》しさを抑えられなかった。

昨日の午後服薬した於継《おつぎ》が、今朝早く目をさまして、

「何日眠ってましたのよし」

と、枕許《まくらもと》の加恵に聞いたのである。

丁度そのとき青洲《せいしゅう》は、布袋《ほてい》屋に泊っている患者の容態が急変したという報《しら》せがあって飛び出して行ったので、部屋の中には加恵だけしかいなかった。

「お気づきかのし。御気分はどないでございますかのし」

と、加恵は茶の煮出し汁《じる》を早速飲ませようとその温かさを掌で確かめながら聞いたが、於継は静かに、

「何日たってますのよし」

と同じ問いを繰返した。それにはいかにも、加恵より長く麻酔にかかって眠っていたのに違いないという確信がこめられていた。加恵は咄嗟《とっさ》にどう答えていいのか迷った。いや、一晩過ぎたばかりだと正直に返事しかけて慌《あわ》てて抑えたのである。

今度の実験用の薬湯にも危険な烏頭《うず》が入っていないことを加恵は知っていた。青洲は麻酔薬の即効性*を進める研究にかかっていたらしく、於継が眠るのは早かったが、麻酔自体の効果が強くないことは見ていて分った。青洲はときどき母親の脈をとりながら、二の腕の内側を軽く捻《つね》って、その度に於継が身動きするのを見ても、別に落胆した様子はなかった。今度も母親のたっての願いに、気休めの程度の調剤をしたのだということがよく分る。それでなくて、いかに急患があったとしても、於継の傍《そば》を離れて飛び出して行ってしまうことはなかっただろう。

於継は何も知らないのだ。しかし薬湯の中に猛毒の烏頭は入っていないにしても、曼陀羅華《まんだらげ》が混っているのは間違いなかったし、眠るほどの薬ではあったのだから、ここで於継の心に衝撃を与えることはできない。

加恵は、ゆっくりと答えた。

「さあ何日たちましたやろか。私はずっと起きてましたよってに疲れたのか、よう分りません。申しわけのないことでございますよし」

於継は明らかに嫁の迂闊《うかつ》さを責める不満な視線で加恵を見たが、やはり口には出さずに、

「心配かけてすまなんだのし。私はもう大丈夫ですよってに、休んで頂かしてよ」

と、優しい口調で云《い》った。

「何おっしゃいます。そんなお気遣いはなさらんといて頂かして。それよりこの気つけ薬を」

半身を起されて薬湯に口をつけるときになって、於継は青洲のいないのに気がついた。加恵には口移しに呑《の》ませたのに、自分は湯呑でこれを飲むのかという怒りも同時に突き上げてきた。

「雲平さんは、どこよし」

「急病人で布袋屋へ行きなしたんやしてよし」

於継は介添えしている加恵の手を強く払って、一息に渋茶の煮出したのを飲んだ。不快な苦味《にがみ》が口の中に一杯になった。眉《まゆ》をしかめながら於継は床の中に再び横になった。動悸《どうき》が激しい。

ややあって於継は加恵に云った。

「今度の薬は、加恵さんのときと違《ちご》うて大成功やのし。いつまでもぐったりせずとすみますやろ」

「お疲れが出てませんかのし」

「それは何日も御膳《ごぜん》を頂いてへんのやよってに、少しは衰弱してますやろけれども、私は加恵さんのときよりしっかりしてますのよし」

「それはほんまに、お母《か》はんなればこそでございますよし。私はお恥ずかしいことでございました」

「そんなことで云うたのとは違いますわしてよし。薬の効きめが違うのは、それだけええ薬ができたということやしてよし。雲平さんのために、あんたも喜んで頂かして」

「はい。ほんまに喜びなさることですやろ。そやけれども、お母はんは、ま少し安静にしてなした方がよろしのと違いますやろか」

「そうやのし。実験の材料が喋《しやべ》りすぎてはいけませんわのし」

於継は気がすんだのか口を噤《つぐ》むと、目も閉じて、それきり黙ってしまい、やがてまた寝息がきこえてきた。

青洲が戻《もど》ったのは、それから間もなくであったが、気配でそれと気がつくと、加恵は部屋から滑り出た。

「お帰りなして。お覚めになりましたよし」

「そうか」

「今度のお薬は大成功やと云うてなしたよし」

「なんでよ」

「私のときと違うて、しっかりしてると仰言《おつしや》って、のし」

「それはまあ、あたり前のことや」

「お食事の御用意はどないしましょうに」

「白粥《しろがゆ》でよかろ」

「はい、ほなら」

それきり加恵は厨《くりや》に立って、姑《しゅうとめ》の粥を七輪《しちりん》にしかけて、早速井戸端へ出て洗濯《せんたく》をしている。昨夜は青洲の部屋にいて、横になって眠っている青洲と姑とを並べ較《くら》べてみながらも気楽にときどき居眠りをしていた。睡眠は決して足りてはいないけれども、心は晴れ晴れしていて、水を使っては流し、汲《く》んでは流していると、さわやかなめざめに似た気持になってくる。

於継はまた醒《さ》めたら、青洲に同じ質問をするに違いない。幾日、眠っていたのか、と。そういうとき青洲が、母親の心情を理解して嘘《うそ》をつくとは考えられなかった。医者としては患者扱いが少々荒っぽいくらいの神経の太い男なのだ。お母はん、薬飲んだんは昨日の昼下りですがな。そんな返事をするところが加恵の目にはまるで見えるようだった。

洗い張りするために解いてあった小弁と自分の着物を、灰汁《あく》洗いから濯《すす》ぎ洗いまで一息にしてしまって、

「小陸さん、小陸さん」

義妹を呼ぶと、

「お母はんに、お粥と梅干と、卵の黄身と、あげて頂かして。あなたのお給仕の方が喜びなさると思いますわ。私は暮れんうちに早いとこ板張りすましてしまいますよってにのし」

「暮れんうちにてかのし」

小陸は訝《いぶか》しそうに問い返した。今日は早春にしては珍しく陽《ひ》ざしが強く、しかもまだ昼前なのだ。山のような布片《ぬのきれ》を抱えているのならともかく、それこそ昼までにはすみそうな僅《わず》かな布だけが盥《たらい》の中に沈んでいる。

「そうやしてよし」

加恵は頷《うなず》いて続けた。

「ええお天気やと思うていたのに、俄《にわ》かに暗《くろ》うなってきたよってにのし。糊《のり》が効かんといきませんよってに、早うすましてまわないけませんよってに。私は少し慌ててますのやしてよし」

加恵には小陸が異様な表情で目を瞠《ひら》いているのも見えないようであった。

「嫂《あね》さん」

小陸は何か云いかけたが、急にやめた。

「お粥と梅干と卵の黄身やのし」

と復唱して、厨へ駈《か》けこんで行ってしまった。

食事を整えて盆にのせて於継の寝ている部屋に運んだ小陸は、

「私が薬を飲んだのは、いつよし」

と、いきなり母親に詰問《きつもん》されて、ここでも驚かされた。

「昨日のお昼過ぎでしたやろ」

「ほんまにそうかいし」

「なんで私が嘘をつかななりませんのよし」

「雲平さんも、あんたも、薬を飲んだは昨日やと同しこと云うのやよって、嘘やあるまいのし」

「なんでそんなことを、お母はん」

於継は宙を睨《にら》んで、云った。

「加恵さんは、私が幾日も幾日も数えきれやんほど長く眠っていたと云うたんやしてよし」

於継の両眼から口惜《くや》し涙が噴きこぼれるのを、小陸は息を呑んで見ていた。

十三

小弁が死んだのは、その年の夏の初めである。まだ子供だったせいか、長く病まずに呆《あ》っけなく逝《い》ってしまった。早い夏風邪が思いがけず悪質なものだったので、手当てをする暇もなく、まるで蝶《ちょう》を追って草叢《くさむら》をわけて行ったまま見えなくなってしまったようであった。加恵は小弁ひとりを葬《ほうむ》るのが不憫《ふびん》で、小さな棺の中に納められた子供といつまでも別れきれず、親子が一緒に死ねない不仕合せを嘆いた。

涙が出始めたのは、菖蒲池《しょうぶいけ》の畔《ほとり》にある華岡《はなおか》家の墓地に小さな骨壺《こつつぼ》が埋められてからである。それまで四十九日の間、加恵は放心して暮していた。世の中がまっ暗なのは、心の中で光が消えたからだと思っていた。

「お母《か》はん、子に先立たれた思いは、先立たれたことのないひとには分りませんやろのし」

もう意地も張りも消え失せて、加恵は於継《おつぎ》に崩れかかった。

「泣きよし。泣けるときはまだ仕合せやしてよし。涙が涸《か》れてからというたら、その淋《さび》しさは身を切り裂きたいほどやしてよし。私は於勝《おかつ》を亡《な》くしてからは、早《はよ》う死んで傍《そば》に行ってやりたいと思わん日とてなかったよし」

「そうですやろのし。お母さんのお気持は、今になって私には身にしみてよう分ります。私も小弁がひとりで、花の落ちた菖蒲池の前に居てやと思うと、きりきり胸の奥が痛みますのよし」

「加恵さん」

「お母はん」

相抱いて泣きあっている二人を、門弟たちはまるで血の通った親と娘のようだと眺《なが》めていた。事実、加恵自身、於継の腕の中で、これまでの経緯はすっかり涙で流れ去ったものと思っていた。姑《しゆうとめ》を優しいひとと思い、心で憎み続けていた自分を、それが祟《たた》って小弁を死なせたのではないかという妙な自責を伴いながら、反省し、それで一層涙が溢《あふ》れ、流れた。

そのとき於継も加恵も、小陸だけがそういう二人を怖《おそ》ろしげに瞶《みつ》めていることには気がつかなかった。年老いた於継に代って、加恵を援《たす》けながら家の中を取仕切っているのは、今年で三十五になる小陸だったのである。門弟は殖え、彼らの住居《すまい》は別棟《べつむね》に建増してあった。患者の世話は弟子たちがするけれども、奥内の忙しさは先代の頃《ころ》の比ではなかった。食事の世話や洗濯《せんたく》も雇った女衆《おなごし》*ばかりに任せておけるものではなかったからである。今では小陸はこの家に無くてはならない存在だった。於勝のように目に立つ気強さはなく、口数も少ないから、誰《だれ》もそのことにははっきり気がついていなかったのだが。

於継が云《い》っていたように、三カ月たつと日増しに加恵は全身が淋しさと悲しみに締めつけられてくるようであった。折にふれては涙が流れ、その涙が目に浸《し》みると目の奥から頭の芯《しん》までずきずきと痛んだ。加恵はそれを娘を喪《うしな》った悲しみが躰《からだ》にも響くのだと思っていた。目を押え、拭《ぬぐ》いながら、加恵は前々通りに家の中の雑事を片付けていた。しかし、夜になるとしみじみと娘が恋しかった。於継はそれを身を切り裂きたいようであったといったが、同じ悲しみでも加恵の性格ではそういう烈《はげ》しさよりも全身の力が脱《ぬ》け落ちている。苛立《いらだ》たしいほど虚《むな》しくて、どうすることもできないほど淋しい。加恵は自分の瞼《まぶた》にじっとりと滲《にじ》み出るのは、涙ではなくて血なのではないかと思っていた。それが黄色い目脂《めやに》だと気がついたのは随分後になってからである。

その頃、青洲《せいしゅう》がときどき夜寝る前に、煎《せん》じた薬湯を飲んでいるらしいのに加恵は気付いた。というのも、夜中の急患に、青洲が起きなかったことが一、二度あったからである。

「御自分で麻酔を飲んでなさるのと違いますかのし」

そっと聞いたつもりだが、声音には図星を射る確信があった。

「よう気付いたな。眠り薬の少々強《きつ》いのと変らんようなものを調合してみたのや。却《かえ》って疲れがとれてええわい」

「冗談はおいて頂かして。誰も傍に寝やさんと、若《も》しものことがあったらどないなさるんよし。第一、ひとを助ける立場にいて、急病人があっても起きられへなんだら、これまでのお名にもかかわりますやろうに」

「うむ」

夫に対してこれまで意見がましいことを云ったことのない加恵が、潤《うる》んだ目を据《す》えているのに驚いたのか、青洲は素直に頷《うなず》いていた。

「なんで私を使《つこ》うて下さらんのでございますかのし」

「お前には前に強すぎる薬を飲んでもうたやないか。あれで儂《わし》には、薬の減らし方の工夫がついたんやよって、もう充分なのや」

「お母はんは二度お飲みになっていますやないの」

「お母はんのは、お前、あれこそ眠り薬のようなものや」

このときの加恵の気持には於継に対抗する心は毫《すこし》もなかった。回数の違いを云い立てたのも、ほんの言葉の綾《あや》に過ぎない。心のどこにも於継に対して当てつけがましく振舞うつもりはなかった。ただ、これほど人々の信望を集めていて多くの患者たちに感謝されている夫を、実験の小さな誤りで失いたくはなかったし、それに較《くら》べれば自分などはひとり娘の小弁に死に別れて生きている甲斐《かい》のない躰なのだから、存分に麻酔の研究に使われても少しも惜しい命とは思われない。いや何よりそんな理屈はさておいて、加恵は遮二無二《しゃに》自分が薬を飲みたかった。あの飲んだときに全身の血が逆流するような想《おも》いと、胸が押しつぶされて昏倒《こんとう》するときの経験を、もう一度繰返したなら、今のこの悲しみがいくらかでもまぎれるのではないか。そう思うと、加恵は哀願するように、また迫るようにして、夫に繰返して云わずにはいられなかった。

「私を、使って頂かして」

青洲は随分長い間迷っていたようであった。それは彼が心の中で相争う二つのものを裁きかねていたからであろう。彼は前に加恵を試した薬が強度なものであったことを今も後悔していた。しかし、あれから二年して青洲の研究は深まり、自信は前のときと較べることもできない。それを実地に試してみたい慾望《よくぼう》は前の後悔だけでは遂《つい》に抑えきれなかった。

「ほなら、加恵」

青洲は妻の手を強く握りしめた。

「はい」

加恵の目から涙が溢れ落ちた。小弁が亡くなってから、涙もろくなっている。泣き過ぎたためだろう、その涙が出る度に目の奥が痛んだ。

実験にかかると知らされたとき、於継はかすかに美しい眉《まゆ》をひそめて、

「そうかのし」

と云った。小弁の死後、加恵の躰を抱きしめたときとは明らかに調子が違っていた。小さな怒りを押し殺したように、

「そうですかのし」

と繰返した。

だが於継は青洲に何も意見がましいことは云わなかった。床の上に坐った加恵が、

いよいよ薬を呑《の》むときになって、於継は小さな声でいった。

「私が於勝を亡くしたときと、加恵さんの気持はようやく同しになったんやしてのし」

青洲も加恵も咄嗟《とつさ》にはその意味を理解することができなかった。

少量の焼酎《しようちゆう》が湯で割って湯呑に入れてあった。青洲が手の中にあった紫色の紙をひらくと、包まれていた赤黒い散薬が現われた。

「僅《わず》かなものやのし」

於継が云った。加恵に聞かせて安心させるには少し針のある言葉だった。

「これは仮の名を通仙散《つうせんさん》とつけましたのや。生《なま》なら一抱えある薬草を煎じ煮つめて、乾かしかためたのを、更に叩《たた》いて粉にしたものやよって、呑み易《やす》い筈《はず》ですのや」

酒臭い湯を口に含んでから、加恵は夫の云うままに仰向いて唇《くちびる》をあけた。青洲が片手を妻の頤《あご》にかけ、通仙散を服用させるのを、於継は身動きもせずにじっと見詰めていた。

これが最後の実験なのだと青洲は宣言していた。通仙散を作り上げるまでに、青洲はどれほどの研究を重ねて来ただろう。於継としても感無量のものがあったのに違いない。青洲は今、自信に充《み》ち溢れている。於継は実験の結果は見なくても成功は間違いないものと信じることができた。しかしそれを喜びとするには、於継の心の中は複雑であり過ぎた。端然として坐りながら、於継はふと自分の六十四歳という年齢を思っていた。青洲に入門した若い弟子たちが、於継の昔の物語を聞いて、やはり頷きながらその美貌《びぼう》と異常な若さを見上げているのを於継は知っていた。しかしもうこの年齢は動かすことができない。それまで、老いることを死より怖れていたのに、於継はそんなことを考えていた。

通仙散は加恵が前に飲んだもののような激しい即効性がなかったかわりに、胸苦しくもならず徐《おもむ》ろに迫ってきていた。意識の上に次第に靄《もや》がかかってきたとき、

「あ」

と、加恵は声をあげた。

「どうした」

青洲が覗《のぞ》きこんだが、加恵はかすかに首を振って夫の心配を払った。

加恵は先刻の於継の言葉を思い出し、その真意を悟ったのである。於継は云ったのだ、最初に彼女が麻酔の実験台になろうと云い出した三年前の心境に、ようやく加恵は至ったのだと。於継は自分の優位を示そうとして云ったのであろうが、加恵にはそれが同じ娘を失ったもの同士の淋しさとして、烈しく今心に聞えたのであった。姑に

勝とうとは、このとき加恵はもう思わなかった。安らかに、加恵は通仙散の力の下で麻酔にかかっていた。恐怖は、もとよりなかった。小弁を夢みるかと思っていたのに、それさえ見ることもなく、加恵は薬効の中に深くひきこまれていった。

青洲は今度も加恵の枕許《まくらもと》に坐り続けていた。於継は幾度か青洲に横になるようにとすすめたが、彼はかえりみなかった。夜中、青洲は加恵の脈を数え、部厚い帳面に細々と状態を記入していた。加恵の裾《すそ》は数回めくられて、内腿《うちもも》が捻《つね》り上げられたが、加恵は身動きもしなければ声もあげなかった。その都度、青洲は加恵の足首と膝《ひざ》を縛った晒木綿《さらしもめん》の紐《ひも》の結び目に手を当てて紐の締り具合を見ていた。今度は暴れていないので、紐が足に喰《く》いこんでいない。第一回のときと違って、青洲の態度は自信に充ち満ちていた。彼は眠っている妻の様子に至極満足しているらしかった。その横顔を、於継は瞬《まばた》きもせずに見守っていた。

翌朝、明けるとすぐに加恵は覚醒《かくせい》した。いや、目の奥に撲《なぐ》りつけられたような激痛を覚えて呻《うめ》き声をあげたのであった。

「加恵、気がついたか」

「はい」

「自分で起きられへんか」

「はい」

第一回のときのように身動きができないということはなかった。青洲の手を借りれば、ようやく半身を起すことはできた。加恵は震える指先で渡された湯呑を摑《つか》み、口をつけた。前と同じ黒豆の煮汁《にじる》の他《ほか》に、数種の薬が投じられているようだった。通仙散がやはり曼陀羅華《まんだらげ》と烏頭《うず》を主成分にしていることが分った。が、飲み終ると加恵はこらえきれずに両手で目を掩《おお》い、前に倒れた。

「どないしたんや、加恵」

「はい。すんません」

「具合を云え。詳しゅう云うて欲しいんや」

「目が」

「なんやて」

「痛みます。頭の芯まで、ずきんずきんというて、のし」

青洲の目に大きな失望が宿ったのを、於継は見逃さなかった。

「小弁が死んでから加恵さんは泣き続けであったよって、眼性《めしよう》が弱ってましたのやろ。薬のせいとは違いますわのし。水で冷やせばおさまりますやろ」

於継は立って部屋を出ると、手拭《てぬぐい》を取って井戸端へ出た。

小陸が、女衆《おなごし》に率先して春大根を井戸端に山と積み上げて泥を落していた。

「ああ、お母はん、嫂《あね》さんの御様子はどないよし」

「今目エさめたとこやして」

「そうかのし、今度は早かったんやのし」

「私のときと同しことですやろうけどのし、えらい騒ぎやして」

「どないしたんよし」

「目が痛い、痛い、と云い出してのし。井戸の水で冷やせばおさまりますやろ。私が湿布つくりに来たんやして」

「嫂さんの目が」

小陸は立上った。顔が怖ろしそうに歪《ゆが》んでいた。

「小弁が死んでから泣き続けやったよって、目が弱っているだけやしてよし。薬が悪かったかと雲平さんが心配するのに、なんで黙っておくれやなんだのやろ。至らんことやして」

「お母はん」

小陸の目には怒りがあった。強い声音に驚いた於継がそれを見上げると、あの温和《おとな》しい小陸が急に狂ったかと、女衆たちまで唖然《あぜん》とするような激しい声で叫び出した。

「嫂さんの目は、泣いたからやない。小弁が死んでから弱ったのとは違います。お母はんは気付いてなさらなんだんかのし。嫂さんは、嫂さんは、小弁の死ぬずっと前から目が損《いた》んでなしたんや。時には盲になったかと思えるほどひどいときもあったんですよ。あの我慢強い嫂さんが痛いと云うてなさるんはよほどのことですやろ。お母はん、これは兄《あに》さんに云わないけまへんえ。お母はんが云いなさらんのなら、私が云うて参じます。嫂さんは、前の薬飲んで目ェ悪うしてなしたんや」

於継は茫然《ぼうぜん》として自分の娘を見ていた。信じられないほど激しい言葉が、娘の口からこともあろうに母親に対して、まるで笞打《むちう》つように投げつけられているのだ。しかも小陸の口をついて出る事柄《ことがら》は、於継のまったく気付いていないことであった。加恵が目を患《わずら》っていたのはもうずっと前からであったというのは。於継は手拭と共に水に浸していた両の手から、冷気が全身に浸みわたるのを覚えた。躰が小刻みに震えてきた。震えはとまらなかった。小陸が青洲の部屋へ飛んで行くのを止める余裕もなかった。もし小陸の云うのが本当なら、いや、あの温和しい一方の娘が確信を持って云うからには間違いである筈がない。すると、私はどうなるのだろう。実験の結果に、なんのさわりもないこの躰は、まるで阿呆《あほう》のように鈍かったということになるのではないか。そして加恵は、光栄ある犠牲を一身で引受けたのだ。老いた、と、突然のように於継は感じた。

痛みを柔らげる薬を飲み、眼《め》の上に紅絹裂《もみきれ》を敷いて冷水で絞った手拭を置いて押えると、少しは楽になったのか加恵の呻き声は鎮《しず》まっていた。

小陸から話を聞いた青洲は、

「そうか。儂もそうやったのやないかと思っていたところや。通仙散が目を刺戟《しげき》する筈はないのやよってにな。しかし、そんなことを、なんで誰も儂に云わなんだんや」

と、複雑な表情であった。通仙散の成果は予想通りだったと安堵《あんど》する一方で、眼疾を訴えずに薬を飲んだ妻に対する恨みが、母親と妹に向けられていた。青洲の大きな眼に非難がましく見据えられると、於継は先刻からの震えがもう抑えきれずに、叫んでいた。

「私は、私は知らなんだんやしてよし。加恵さんは私には何も云わんおひとやよってにのし」

「お母はん」

小陸が於継の躰を抱きかかえて部屋を出た。娘の胸の中へ、於継は泣き崩れた。その躰が思いがけないほど小さかったのに小陸は驚き、言葉もなくその背を撫《な》でさすった。母が老いていることに小陸は痛いほど気付いていた。

昼近く痛みが鎮まった頃を見はからって、青洲は妻に粥《かゆ》を与えた。

「御心配おかけしてすまなんだのし」

「ま、食べよよ」

加恵は自分で半身を起し、今度は聞かれる前に前回の覚醒後と躰の状態が違うことを細々と話した。かすかに頭にも四肢《しし》にも痺《しび》れが残っているけれども、それほどたいしたことはない。

「ただ」

加恵は口籠《くちごも》ったかすかな恥じらいを示してから、

「この辺りが」

と掛蒲団《かけぶとん》の上から膝を叩き、

「打身のように痛みますのよし」

と云った。

「儂が捻ったよってやしよ。思いきり捻ったのに、加恵はびくりとも動かなんだよ」

青洲は晴れやかに笑った。加恵も目の痛みをこらえながら喉《のど》の奥で笑い、それからおそるおそる聞いた。

「お母はんは」

「疲れたやろから休んでもろうた」

「えらいいつもすまんことでございますよし。それで、今は、幾日目の真夜中でございますかのし」

「真夜中てか」

青洲の大きな眼が剝《む》き出たようになって妻の目を凝視していた。潤んだ目をしばたたきながら加恵は真昼の明るい部屋の中で、青洲の顔も見えないようであった。

「加恵」

青洲は妻を抱くと、静かに蒲団に横たえた。

「痛むか」

「いいえ、先刻ほどには」

「そうか」

青洲は加恵の瞼《まぶた》に指をあててなんの反応も見せない瞳孔《どうこう》を仔細《しさい》にあらため見ながら、次第に表情を曇らせていった。麻酔薬の実験成果の喜びは萎《な》えて、彼の心はようやく医者から夫に戻《もど》ろうとしていた。加恵にはもう見えなかったが、青洲の喉仏の横にある例の大きな黒子《ほくろ》は、懸命に何かをこらえている内心を示すように激しく揺れ動いていた。

目の奥の痛みは日が経《た》つにつれて薄れていったが、目脂《めやに》も止った頃には加恵は完全に盲目になっていた。青洲のそれを瞶《みつ》めている悲嘆は誰の目にも痛々しかった。そして於継が朽木の倒れるような斃《たお》れ方をしたときも、彼の心を瞬間も加恵から離すことはなかった。

盲目の加恵はもはや姑の看病はできなかったし、魂が脱《ぬ》けたように甚《はなは》だしく老いた於継の姿も見ることはなかった。薬草畠《やくそうばたけ》も霜で凍るような夜、於継が息をひきとったとき、加恵は米次郎《よねじろう》に手をひかれて姑の臨終に侍したが、静かに合掌しながらも、しきりと胸から喉へ突き上げてくる不快な噯気《おくび》*の方に気をとられていた。十幾年ぶりかで加恵は妊《みごも》っていたのであったが、於継はそれを知らずに死んだ。彼女が青洲の養子にするようにと云っていた良平は京都に遊学中であったから、枕許には青洲夫婦と小陸がいたばかりである。次男の治兵衛《じへえ》も商用で京都に出かけていて、母親の臨終には間に合わなかった。菖蒲池《しょうぶいけ》の前の華岡《はなおか》家の墓地に葬られた於継の法名《ほうむ》*は、蓮浄院智貞《れんじょういんちてい》信尼《しんに》という。

十四

享和《きようわ》元年、長男が生れた。青洲《せいしゆう》は雲平と命名した。自分の通り名を与えたのである。子供の顔を見ることのできなかった加恵は、ひとの話から雲平が於継《おつぎ》そっくりの面立《おもだ》ちを持っていると知らされたが、姑《しゆうとめ》に対する怨念《おんねん》は於継の死と共に消え去ってしまったのか少しも心痛まなかった。あれほど姑が待ち望み、自分も待っていた代継ぎが生れたのに、その手柄《てがら》についても殊更《ことさら》らしく思わなかった。

「小陸さん、ほなら雲平さんは美し子ですやろのし」

加恵は平然として云《い》った。於継が末弟の良平を青洲の代継ぎにすると云い遺していることと、新たに代継ぎが生れたことについては、加恵は少しも思い惑うことがなかった。妻の産んだ青洲の子供が雲平なのだ。良平を正式の養子に迎えていたところで、懼《おそ》れることはなかった。小陸は答えずに新たに加わった育児の仕事を黙々としてやっている。小弁のときには決して豊かではなかった乳の出が、雲平のときには余るほどで加恵の両乳は誇らかに張っている。雲平が泣き出すと小陸は小さな甥《おい》を抱いてきて加恵の膝《ひざ》の上にそっと置いた。待っていた加恵はすぐ胸をひらいて雲平の口に乳首を含ませる。力強く吸いつく子供の力に、加恵の全身は喜びで痺《しび》れていた。待望の男子、華岡《はなおか》家の後継ぎを産んだのだ。もうすっかり諦《あきら》めてしまった頃《ころ》になって、この突然の大きな喜びと誇りはたとえようがない。

すでに青洲は紀州に並ぶもののない医者であった。雲平が二度目の誕生日を迎える頃、召されて藩主の謁見《えっけん》を受け、士分に列して帯刀を許されるという恩典に浴した。*青洲自身はそういう俗事には恬淡《てんたん》としていたが、もう門弟も三十人からの大世帯になっていたから、何がしかの祝いをしないわけにはいかなかった。その意味もあったのか、青洲は更に別棟《べつむね》を建て増して、加恵と雲平をそこに住まわせることにした。大きな家ではなかったけれども、盲目の加恵の身動きのために少しでも便利なようにという配慮がはらわれていた。小陸は相変らず忙しく、加恵が盲目となってからは完全に華岡家の主婦になっていた。育てた雲平が気になるらしく、珍しい菓子などが入ると加恵に届けがてら、ちょくちょく顔を出したが、すぐまた駈《か》けて行ってしまう。その代り青洲はいい寛《くつろ》ぎ場所ができたとでもいうように、来ればゆっくりと加恵に話しかけ雲平をあやして、外科医の激しい生活からしばし憩う場所としていた。

見ることができなくなって、不自由な躰《からだ》であっても、盲目になる以前と較《くら》べれば加恵の生活は人々の労《いたわ》りと愛に恵まれて幸福であった。この幸福は、盲目になることによって購《あがな》われたとさえ思えるほどである。雲平の顔を見ることができず、並の母親らしい育《はぐく》み方のできないのは残念であったけれども、悔むことは何もなかった。加恵は見えなかったけれども充分に感じていたのだ。多くの門弟や、青洲を訪《おとな》う多くの患者たちが畏敬《いけい》の念を抱いて加恵を仰ぎ見ているのを、彼女は知っていた。盲目の加恵が小女に手を曳《ひ》かれて平山の野道を逍遥《しようよう》するときは、村人たちも畑仕事の手を止めて互いに頷《うなず》きながら眺《なが》めているのにも加恵は気が付いていた。華岡家の物語が、美貌《びぼう》の於継を娶《めと》った直道の話から、次第に加恵の献身へ移行しようとしているのを、加恵は充分に知っていた。

新しい家に移り住んでから、加恵の姿勢は、かつて於継がそうであったように、上体をすらりと誇らかに形よく伸ばすようになっていることには、加恵はしかし気付いていない。いつ誰《だれ》が覗《のぞ》き見しても、家の中の加恵が姿勢を崩していることはなかった。見られているという意識が於継の若さを保っていたと同じように、加恵にも見る人々の心の反映が、いつか躰に現われていたのであろう。

「加恵よ」

「なんでございますよし」

「湯治*にでも行きたいのう」

「何仰言《おつしや》いますやら。ここにいたかて母屋《おもや》のお忙しことは分ってますのに」

「患者を診《み》るのは退屈せん。けども直るにきまってあるものを直すだけの忙しさというのは、やはり儂《わし》には阿呆《あほ》らしゅうてかなわん。これとこれは助けられるが、これとこれは自分の今の力では助けられんと分ってしまうと味けのうていかんのや。腫物《はれもの》の口をチョンと切って膿《うみ》出すだけの治療ばかりが続くと、実のところはくさくさしてくるのや」

加恵は正坐して両手を膝の上に置いているのだが、青洲は畳の上に寝そべっての会話なのであった。加恵は青洲が通仙散《つうせんさん》の研究に没頭していた頃のことを思い出した。このひとは何かに熱中していなければいられない男だったのだ、と今にして加恵は深く夫を理解することができる。

「脚がのう」

「脚がどないぞなしたかのし」

「よう痺れよるんや。自分で麻酔の実験したせいやとは分っているんやが、儂にはどうも自分の心が脚に現われて痺れを切らしているんやとしか思えんのや」

加恵は実験の薬毒が自分の目ばかりでなく夫の脚をも犯しているのかと思うと、返事の言葉がなかった。この家にくると青洲が足を投げだしたり、寝転んで話す理由もようやく分った。麻酔の研究が、一区切りついてしまったのだ。雲平が新しい玩具《おもちゃ》に飽きると次が与えられるまで終日いじいじと焦《じ》れるように、青洲も同じ状態になっている。加恵は慰めようがなかった。もともとが口数の少ない方であったから、青洲が来ても加恵より青洲がよく喋《しゃべ》り、加恵は専《もっぱ》ら聞き役に廻《まわ》る方が多かったのである。

母屋の方が急に騒がしくなった。ただならない気配に加恵が聞き耳を立て、青洲が躰を起したところへ米次郎《よねじろう》が飛び込んできた。

「先生、暴牛《こってうし》*の角にかけられた女《おなご》です」

「どこを突かれたんや」

「乳が」

米次郎はここで息を入れ、青洲の目が光った。

「乳やと」

「はい、乳房が、左が裂かれて、柘榴《ざくろ》のように割れて、中身が飛び出してます。男なら心臓一突きやったのですやろが、女でも乳を裂かれてはどうで助からんかしれませんのう」

「分るかれ、そんなことが、女の乳が切れんと云うのは耳から入った知識だけで実際この手で験《ため》したのとは違うのや。すぐ行くで。縫合と消毒の用意せえや」

加恵は二人の会話を全身に聞き、青洲がみるみる精気を取戻《とりもど》すのが見えるような気がした。部屋の中に竜巻《たつまき》を残して青洲が飛び出して行ったあと、加恵の胸もしばらく動悸《どうき》が激しかった。

乳房。青洲が京都から帰ってきて迎えた初夜のことが思い出され、痩《や》せ細って死んだ於勝《おかつ》の胸の上に熟《う》れすぎた南瓜《かぼちゃ》のように醜く盛上っていた乳房もすぐ心に浮んだ。岩《がん》と分っていながら女の乳の岩ばかりは切ることがならないと、苦しみ悩んでいたときの青洲を思い出す。

「姉《あね》さん」

加恵は手を合わせて、もう十余年前に死んだ小姑《こじゅうと》に祈っていた。青洲が門弟たちに口癖のように云っていた活物窮理のときがきたのだ。乳房が女の肉体的な生命を左右するものなのかどうかという大きな疑いの前で、青洲が目を血走らせ、大きな油紙の上に横たわった女の上半身を、洗い、止血し、痛み止めを塗り、消毒薬で拭《ふ》き、やがて縫合して行く荒い息遣いが、加恵の耳には聞えてくるようである。加恵は合掌し、一心不乱に念じていた。医学の知識に深くない加恵の祈りには、具体的な願いは何もなかった。乳房を裂かれた女が助かって欲しいということさえも思いつかなかった。ただ、夫が再びこれによって新しい生き甲斐《がい》を見出《みいだ》し、かつて於継と加恵の争いも知らずに麻酔薬の研究に没頭していたときのような、激しい生き方を取戻してくれることを、いつか加恵は夢中で祈っていた。

それから数日間、青洲は加恵のところを訪ねなかったが、乳の裂傷を縫った患者の枕許《まくらもと》にじっと坐って動かない夫の姿が加恵には見えるようであった。門弟たちもひっそりとして、師と患者の二人の顔を交互に見ていることであろう。

小陸が訪ねてきたとき、加恵は様子を聞いた。

「御病人はどないよし」

「これまでもったのやよって助かるかしれんという話やして」

「ほんまかのし」

「そやけど、助かるとしたらあれはよほど躰の丈夫な女《おなご》さんやわ。百姓して働きもので通っているひとやときいて、私もさこそと思いましたよし。そらもう苦しんで苦しんで、その声の怖《おそ》ろしいことというたら、呻《うめ》き声には慣れている私でも耳を押えではいられんくらいやった程ですんよ。まあ、乳を裂いたら命がないというのは、やっぱり間違《まちご》うてエへんのやわ。於勝姉さんのとき、兄《あに》さんは大層迷うてなしたようなやけど、あの弱りきった躰では切って岩をとったところで痛みに疲れて助からなんだと私は思いますわよし」

加恵が盲目になって話すことが一層少なくなったせいか、あるいは華岡家の主婦の位置にある現在の小陸は昔のように温和なだけではすまなくなっているのか、このところ前よりずっとよく話すようになっていたが、この日も母屋に張り詰めている興奮を運んできたもののようによく喋って帰って行った。

そのあと間もなく、青洲が久しぶりで加恵の住む棟に来た。

「加恵よ」

彼は喜びを抑えきれずに子供のような声をあげた。

「はい」

「女の乳が命に繫《つな》がっているというのは、あれはやっぱり迷信やったわい。さあ、あとは乳岩の患者を待つばかりや」

「よろしございましたのし。私は何もできませなんだがここにいて、じっと於勝姉さんに祈ってましたのよし」

「於勝か」

溢《あふ》れていた歓喜がふいと消えて、青洲は眉《まゆ》をひそめた。声も同時に不機嫌《ふきげん》になった。

「いまから於勝が乳岩になったかて、どうで助からなんだやろ」

「なんででございますかのし」

「占いも医者も、自分と自分の身内は助けられんというやないか」

その後ずっと長い間、加恵にはこのときの青洲の言葉が耳朶《じだ＊》に残っていた。なぜか分らないが、わだかまりがある。華岡青洲と彼の身内の中に、妻である加恵自身は入っているのか、いないのか。いま優しく抱擁されて暮しているとき、加恵は夫の愛を少しも疑うことはないのであったが、愛されている確信を持っていてもなお、骨肉を分けあった親兄弟と元は他人であった妻とが等しいものとは信じ難《がた》い。加恵は雲平が昼寝をしている時や、青洲の訪れのない夜など、しじまの中でよくこのことを思いまわした。

小陸の発病は於勝のときと同じように一番先に加恵が気付いた。声が太くなり、息切れがしている。目が見えなくなってから加恵の耳は敏《さと》くなっているのであった。

「どないどなしたんと違《ちゃ》いますかのし。疲れ過ぎにしては、おかしいわ」

「そうかのし」

「そうかのして、私に隠すのは水臭いわ」

「いやア、水臭いのはどっちもどっちやしてよし」

小陸は、くすくす笑った。小さく笑ったのに、それだけでもう後が荒い呼吸になっている。

「なんでよし」

「なんでて、嫂《あね》さんはまたややこがでけたんと違うんかのし」

図星を差されて加恵は顔を赭《あか》らめた。雲平を産んで三年めに加恵は四十四歳にもなってまた妊《みごも》っているのであった。この家ができてから、青洲の愛は深く緻《こま》やかなものになっていたが、この齢《とし》で妊るのはやはり恥ずかしい。

加恵が絶句したので、小陸は自分のことを喋り出した。

「私の方は云うたかてどうにもならんものでは於勝姉さんと変らんのやわ。首筋のところにぐりぐりができてのし、それから躰中どこでもしんどうなってますん。初めは肥《ふと》り過ぎたんかのうと思うてたんやけど」

「首筋ですて」

「へえ」

加恵が指先で探る間、小陸はじっと首を突出していた。青洲の黒子《ほくろ》があるのと丁度同じ場所に、梅干ほどの塊ができている。静かにその上に手を当てると、脈搏《みゃくはく》と同じようにどく、どく、と動いていた。

「血瘤《けつりゅう》ですのやろ」

小陸が平然と云ってのけた。同じことを加恵も考えたところだったので、云う言葉がなかった。専門的な医学の知識こそないけれども、加恵は盲目になるまでに幾人かの血瘤患者が青洲の診療を受けに訪れているのを見て知っている。それは動脈の中に生れて育つ瘤《こぶ》であった。一般には体内の血を吸いあげて肥る瘤だといわれていた。乳岩と同じように不治《ふち》と呼ばれる業病《ごうびょう》の一種である。＊ある者は腋《わき》の下に熟柿《じゅくし》のような血瘤を抱え、ある者は後頭部にまるで頭が二つあるような大きな血瘤を戴《いただ》いて、あえぎながら診察を受け、絶望的な目をして帰っていった。

加恵の口からそれを知らされた青洲は、すぐ小陸を離れに呼んで診察した。

「米次郎に薬を作らせよう。日に三度飲むようにせえや」

「はい、おおきに」

小陸が母屋に帰って行ってしまった後、青洲は長い間、じっと黙って坐っていた。

加恵はおそるおそる聞いた。

「どないでございましたかのし」

「うむ」

「血瘤とやらいうもんとは違いますやろのし」

「いや、血瘤や」

青洲は、ずばりと云った。

「しかし血瘤というのは、岩と同しものやないかと儂は前から思うているんや。血管の中に岩がでけたのや」

「ほな於勝姉さんと」

「うむ」加恵の腹部に胎動があった。生れてくるものが生命を持っている証拠を示している胎動している。加恵は黙然としていた。死ぬ者を思っているとき、これから生きる者がうものが生れたり死んだりするのは、いったいなんという怖ろしいことなのだろう。加恵は雲平を妊って、悪阻《つわり》に悩んでいた。人間とい

「加恵よ」

青洲が嘆息して云った。

「医術というても奥が深いものよのう。今日は乳岩の患者がきたのや」

「まあ、それは」

「気丈な婆《ばば》でのう。危険があっても儂の手術を受けて死ぬのならええと、向うの方が熱心なのや。儂も初めてのことやから慎重の上にも慎重を期したいと思うて、手術にかかる先に脚気《かっけ》を直すように薬を調合した。しかし十中八九、儂は自信があるんや。いよいよ時節到来やと、儂はそれを加恵に告げようと思うてここへ来たんや」

「通仙散を使いなさるんでございますかのし」

「そうよ。儂はきっと乳岩を直してみせる。そう思うたら今から武者ぶるいとでもいうのやろかのう、何やらじっとしていられんで、まず加恵にいうて心を落着かせよう

かと、ここへやってきたんや」

「それを、いきなり私から小陸さんのこと云い出してしもうたのやのし。すまんことでございましたよし」

「いいや、儂はいきなり叩《たた》きのめされたように思うたのや。かりに儂の思惑通り乳岩が根治*でけたとしても、医の深奥《しんおう》を極めたとは云えんのやとのう。乳は裂けても死なんと分ったが、血瘤はどこからも裂きようがない。喉首《のどくび》突くのは女の自害の法やないか」

「はい、そう習《なろ》うたことがあります。心を鎮《しず》めて首筋に掌《て》を当て、ひくひくと動くところを突くのやと覚えてます」

「小陸の岩はそこへでけてるのや。手術の法はない」

加恵にも言葉はなかった。

青洲もしばらく黙っていたが、やがてまた長嘆息した。そして嚙《か》み捨てるように云った。

「医術の奥は深いわ。人間の躰は何度腑分《ふわ》けしたかて尽せるものやない」

青洲が生れる数年前、山脇東洋《やまわきとうよう》が刑死体を使って初めて腑分け（人体解剖）を行い、後に杉田玄白《すぎたげんぱく》が蘭書《らんしょ》に基づいて、やはり腑分けをして解体新書を著わしたのは青洲十五歳のときである。それは日本の医学にとって画期的な業績であったが、以来蘭学は普及しても瞠目《どうもく》すべき事件はまだ起っていない。京都に修学中、朝倉荊山《あさくらけいざん》に向って、人の直せないものを直す医者になるのだと軒昂《けんこう》たる意気を示した青洲は、今に到《いた》って人の直せないものをいくら治癒《ちゆ》してみせたところで、それほどの手柄《てがら》ではないのだという深刻な壁に突き当っていた。小さな切開手術のための痛み止めの発明、正確な診断と処方、信頼されていい縫合、独創的な生薬《しょうやく》の調合、と、青洲は次々と人のできない小さな成功を積み重ねてきている。そして目前には乳岩の手術という年来の悲願が達成される機会が訪れているのだ。が、その成功を見通して喜ぼうとしたのも束《つか》の間に、乳岩より更に絶望的な血瘤が彼の血縁を冒している。青洲にとって、自分の出来ることよりも自分の出来ないことを思い知らされる機会が目の前に立ちはだかっているのであった。加恵の眼《め》にしてもそうだ。自分の専門外であるとはいえ、彼が服用させた麻酔薬が招いた結果を彼はただ手を束ねて見ていたのだ。医術の奥は深い、嘆息して、やがて彼は唇《くちびる》を嚙《か》んだ。乳岩の手術に、彼は自分の名声のあがることをもはや考えなかった。医師の敬虔《けいけん》を彼は取戻し、ただ慎重であることのみを心がけた。乳岩の患者の余病を完全に直すのに時間をたっぷりとかけているのも、大手術前の慎重な準備に他《ほか》ならなかった。乳岩の手術が成功しても、その為《ため》に他に不治の病が頭をもたげることがあってはならない。それは加恵の眼の教訓であった。

年があけた初夏に、次女かめが生れた。小陸の血瘤は、生れてきた子供の頭と同じくらい腫《は》れ上ってしまっていた。当然働けなかったし、それどころか寝たままで磔《はりつけ》にされたように身動きも今では楽でなかった。加恵は、この小姑だけは心から看取《みと》りたかった。盲目では何ほどの世話もできるわけではなかったけれども、喉が圧迫されて白湯《さゆ》と薄い粥《かゆ》しか啜《すす》れなくなっている小陸は、たえず手足の痛みを訴えるので誰かがつききりで撫《な》でさすっている必要があった。それは加恵にとって、うってつけの仕事だった。

離れの狭い部屋の中に、二組の夜具が常時敷き放しにされているようになった。小さな蒲団《ふとん》にはかめが、もう一つには小陸が仰臥《ぎょうが》している。加恵はその中央に坐って、かめが泣き出せば乳を与え、手探りで襁褓《むつき》を取替え、小陸が苦しみ出せば痛い場所を押えさすり続けた。

暑い夏であった。加恵の掌《て》の中にいる小陸の躰は、どんどん痩《や》せ細っていった。食物が喉を通らないのだから、血瘤が全身の血を吸いとるのと、飢えて死ぬのと、どちらが先か分らない。骨の上にただ皮がはりついているだけの躰なのに、苦しみに耐えると小陸は夥《おびただ》しく汗を掻《か》いた。加恵は着替えさせるために抱きあげたが、中年になってから急に肥り始めていた筈《はず》の小陸の躰は、まるで枯木の束のように軽く、生れたばかりのかめよりも手応《てごた》えがなかった。加恵の目から涙が流れ出した。

「嫂《あね》さん、泣いてなさるんかのし」

小陸が小さなかすれた声で聞いた。

「目は見えやんのに、涙が出るというのは可笑《おか》しいわのし」

加恵は急いで冗談にまぎらわせたが、病み死ぬ間際《まぎわ》まで小陸の意識は確かなものであった。

「なんで泣いてなさるのよし」

「嫂と呼ばれながら、あなたには何もしてあげられなんだと思うてのし。すまんことでござりましたよし」

「何かと思うたら何を云うてなさるやら。私は嫂さんには何の不満もありませんえ」

「それでも嫁入りさせずに家の中のことを押しつけてしもうて、それで病気になってこの家で。私はどうぞしても直ってもらいたいと思うてますんよし」

「嫂さん、そのことやったら」

小陸は、俄《にわ》かにはっきりとした声を出して喋り出した。

「そのことやったら悔むどころか、私は嫁に行かなんだことを何よりの幸福やったとは、嫂さんとのことは、お母《か》はんと、思うてましたのよし。こようく見てましたのよし。なんという怖ろしい間柄やろうと思うてましたえ。私は見てましたえ。ないだもお母はんの法事で妹たちが寄ったとき、話す話が姑の悪口ばかり。云えば気が晴れるかと思うて、云わせるだけ云わせて聞き役してましたけども、女二人《おなご》の争いはこの家だけのことやない。どこの家でもどろどろと巻き起り巻き返ししてますのやないの。嫁に行くことが、あんな泥沼にぬめりこむことなのやったら、なんで婚礼に女は着飾って晴れをしますのやろ。長い振袖《ふりそで》も富貴《ふっき》綿《わた》の厚い裾《すそ》も翌日から黒い火が燃えつくようになるのにのし。於勝姉さんも私も似たような病気で死ぬのやけれども、なんぼ苦しんだかて嫂さんのような目にあうより楽なものやないかと思うくらいですよし」

「何をまあ、小陸さん、滅相もない。私は亡《な》くなったお母はんに見込まれてこの家に来た嫁やしてよし。あの美し、賢いお母はんに、娘のように思うて頂いて」

「嫂さん、私にまで虚偽《つく》らんかてよろしいわ。実の親と思えば、どちらの味方につくこともできやなんだだけで、私は細大もらさず見てたつもりやよし」

「そんなことを仰言《おっしゃ》ったらいかんわ、小陸さん。さあ、長く話して疲れが出たらいけまへん。少し休みまひょういな」

「嫂さん」

小陸は頷《き》かずに続けた。声の調子に急に意地の悪さが響いた。

「嫂さんが目が見えやんようになるほどの薬を飲んでも後悔してなさらんのは、それは何故《なぜ》ですのん。こわい薬やと分っていても、お母はんと競争して飲みくらべをしたのは、ほなら何故でしたん。兄さんが名高《なだこ》うなったんで世間はお母はんも嫂さんも偉いというて褒《ほ》めてますけれどものし」

「小陸さん、ほんまにあなた何を云い出してなさるんよし」

加恵は慌《あわ》てていた。心の中でぎくりとするものがあったが、それは振り捨ててしまうべきであった。加恵は小陸の口を封じるために言葉を続けた。

「お母はんは立派なお方やったのやしてよし。私はほんまにそう思うています。おかげで私は医家の女として少しはお役に立てたのやし。それは、実の親子とは違うたのやよってに、お母はんも私をお気に召さんことは多かったやろうし、私も意地はったときがないとは云いまへんえ。けどそれは誰とでもありがちなことやったのやしてよし。お母はんを賢い方や立派な方やったと私は心底から思うてますよし。泥沼やなんどと、滅相もない」

「ほんまかのし、嫂さん」

「ほんまのことですよし」

加恵は念を押されて、ようやく悠然《ゆうぜん》と頷《うなず》き返した。本当にそうだと自分でも思っていて、後ろめたい思いは少しもなかった。

瘦せこけた小陸の顔の中で、目ばかりが大きかった。そうなってみると小陸と青洲の目は実によく似ていたが、加恵には分らない。小陸はぎらぎらと光る目で加恵の静かに閉じられた瞼《まぶた》を見詰めていたが、やがて、云った。

「そう思うてなさるのは、嫂さんが勝ったからやわ」

加恵は一瞬、全身が強い光線にさし貫かれたと感じた。息が止って身動きもならない。狼狽《ろうばい》することさえ許されなかった。この死の床にいる義妹の、透徹して仮借ない鋭い判断を拒む力は加恵にはなかった。ただ盲目であることが辛うじて加恵を衛《まも》っていた。

長い時間が過ぎたように思われた。小陸も長い間、加恵と同じように目を瞑《つむ》っていた。呼吸を整えてから、目を瞑ったままで小陸はもう一度話し出した。今度は血瘤《けつりゅう》で押し潰《つぶ》されたままの声で、前よりも苦しそうだ。とぎれとぎれに、小陸は息をついた。

「嫂さん、それでも男というものは凄《すご》いものやと思いなさらんかのし。お母はんと嫂さんとのことを兄さんほどのひとが気付かん筈はなかったと思うのに、横着に知らんふりを通して、お母はんにも嫂さんにも薬飲ませたのですやろ。どこの家の女同士の争いも、結句は男一人を養う役に立っているのとは違うんかしらん。この争いを裁く男はないし、巻き込まれるような弱い男はいわば肥《こえ》の強すぎた橘《たちばな》のように萎《な》えて枯れているようなやわ。考えてみると嫂さん、男と女というものはこの上ない怖ろしい間柄やのし。兄と妹というたら、これは全く別ものよし。もしこの病気が嫂さんに出たのであったら、兄さんは刀取って裂いたかしれへんわ。そやけど妹には何もようせえへんのですよし、そやから血縁の女きょうだいは男には役立たずで他家へ嫁に行かせられるのですやろ。こんなことはずっと昔からそうやったのですやろのし。それでこれからも永代《えいたい》続くのですやろのし、家があろうとあるまいと男と女はあるのですやろから。私はそういう世の中に二度と女には生れ変りとう思いませんのよし。私の一生では嫁に行かなんだのが何に代え難《がた》い仕合せやったのやしてよし。嫁にも姑にもならいですんだのやもの」

加恵はもう小陸の話すのを止めなかった。止めたところで喋るだろうし、黙ったからといって生きのびる命がその軽い躰《からだ》のどこに宿っていただろう。そしていつか加恵は自分の躰のどこかが小さく裂け、小陸と同じ言葉を叫んでいるのに気がついて、愕《がく》然《ぜん》としていた。

華岡青洲はといえば、この瀕死《ひんし》の妹を近頃は滅多に見舞うことがなかった。助けようのない血瘤だと見放しているせいもあったし、痛々しく病み呆《ほう》けた肉親を見ることは耐え難かったのかもしれない。しかし、彼が滅多に離れに来なくなっているのは、近々手術にかかる患者のことで頭が一杯になり、古い医書を繙《ひもと》き直し、これまでの自分で手術を施した患者に関する記録に目を通し、「本草綱目《ほんぞうこうもく》」まで最初から読み返しているからに違いなかった。加恵にはもう夫のそういう様子が、目の見えた頃よりもよく見える。

大和《やまと》の国の宇智郡《うちぐん》五条*で藍屋《あいや》を営んでいる利兵衛《りへえ》という者の母親が、いつか青洲の話していた乳岩患者《にゅうがん》であった。名前は勘《かん》、六十歳。乳房の中に固いものができたのを、診《み》せた医者はすぐに岩だと診断《みた》てたが、治療の方法はないとして投薬もしなかった。藍屋利兵衛は商売柄諸国の噂《うわさ》を耳に入れるのが早かったから、隣国の紀州に奇病を直すので名高い医者がいるときくと早速に母親をつれて出かけてきたのである。老母は半分諦《あきら》めていて、死ぬのなら岩が育つのを見ずに早く死にたかったのと、名医の手にかかって死にたいという奇妙な熱意で、方法について慎重に考えこんでいる青洲に強いるようにして手術を乞《こ》うという態度だった。

かめの生れた同じ文化二年十月十三日、青洲は準備を完了して勘に通仙散を与え、手術室にひろげた油紙の上に寝かせた。薬効が老婆《ろうば》の上に現われたのを確かめると、青洲は弟子たちに手伝わせて悠々と手術衣《しゆじゆつぎ》を羽織った。それは柿《かき》色の麻の羽織である。紋付と同じように背中と袖《そで》の五箇所に太い組紐《くみひも》で作った輪を縫いつけてある。これは青洲の考案によるものであった。輪の中に紐を通して襷《たすき》代りにすると、袖が締め上げられて腕の自由がきく。そして組紐の輪の形は、加恵が薬を飲むときに脚を縛った、あの結紮《けっさつ》*が応用されていた。後に青洲は五三《ごさん》の桐《きり》の家紋を弟に譲って、自分はこの組紐の輪を本当の紋付にも用いるようになった。医者としてこの着想は誇らしかったし、加恵の協力もまた忘れられなかったからに違いない。このときの手術の経過については青洲が自身の手で「乳巌治験録《にゆうがんちけんろく》」の中に書き記してある。

冬十月十有三日《ふゆじふぐわつじふいうさんにち》。朝進病婦先服我麻沸散《あしたしんびやうのふにまづわがまふつさんをふくせしむ》。少頃《せうけいにして》。正気恍忼乎《せいきくわうかうとして》。不識人事《じんじをしらず》。終身麻痺不覚痒痛《つひにみまひしやうつうをおぼえず》。時以古呂牟志津寿《ときにコロムシッスをもって》。如二之図《にのづのごとくして》。竪割核上三寸許《たてにかくじやうさんずんばかりをわる》。出血不少《しゆっけつすくなからざれば》以手術止之《しゆじゆつをもってこれをとめ》。而入一指於如三之図其創口《しかうしていっしをさんのづのごとくそのさうこうにいれ》。候其核《そのかくをうかがふ》。核附属上下之肉《かくじやうげのにくにふぞくして》。而不離《はなれざれば》。因如四五之図《よりてしごのづのごとく》。入左右之指《さいうのゆびをいれ》。排離核之与肉《かくとにくとをはいりす》。時有系筋《ときにけいきんあれば》。則挟古呂牟志津寿切之《すなはちコロムシッスをはさみてこれをきる》。若切絡《もしらくをきらば》。復以手術止其出血如是須臾《またしゆじゆつをもってそのしゆっけつをとむこのごとくすることしゆゆにして》。上下之肉漸離《じやうげのにくやうやくはなる》。核既出矣《かくすでにいだせり》。後以焼酒洗肉《のちせうしゆをもってにくをあらひ》。以波留佐牟古津波井波敷之《ハルサム・コッパイハをもってこれにぬる》。而後以糸縫其創口《しかるのちいとをもってそのさうこうをぬひ》。及傅膏《かうをふするにおよぶ》。

皆同金創之治法也《みなきんさうのちはふにおなじなり》。後泔湯中入食塩飲之《のちかんたうのなかにしよくえんをいれてこれをのましめ》。解麻沸散之薬気《まふつさんのやつきをとく》。次与甘草瀉《つぎにかんざうしやしんたう》心湯《をあたふ》。時以稀粥養之《ときにきしゆくをもつてこれをやしなへば》。正気漸々復《せいきぜんぜんにしてふくし》。而覚人事焉《しかうしてじんじをおぼゆるなり》。始見其乳房創口《はじめてそのにゆうばうのさうこうをみて》。驚曰《おどろきいはく》「核安在《かくいづくにかある》。腫已消矣《しゆすでにきえたり》。嗟愉快哉《ああゆくわいなるかな》。不識其治《そのちをしらず》。不覚其痛《そのいためるをおぼえず》。而腫核既《しかうてしゆかくすでにせ》消滅也《うめつせるなりと》。」

乳岩の手術はこうして成功裡《せいこうり》に終った。同じ記録の初めの方に「我療二乳巌一乎《われにゆうがんをりようするや》。竊擬二華佗之術一《ひそかにかだのじゆつにぎし》」と青洲は書いている。それで、通仙散と自ら名付けたものをわざわざ華佗が用いた麻酔薬と同じように麻《ま》沸散《ふっさん》と記しているのであろうが、千七百年前の医聖は後の人のためには何一つ記録を残していないので、青洲は華佗に擬するにも具体的な手がかりはなく、これは全く彼自身の独創によるものであった。わざわざこうしたものにまで華佗をひきあいに出したのは、青春の日からの目標であった医聖の名をこのときに到ってもなお忘れることがなかったからであろうし、手術に際しての青洲の意気込みもうかがわれるというものである。

この手術は、単に華岡青洲の名をあげるに足る偉業であっただけではない。それは近世外科界で実に世界最初の全身麻酔による手術であった。アメリカ合衆国のロング医師がエーテルを用いて実地手術を行なったのは一八四二年であり、一八三一年にスーベローの創製したクロロフォルムを使って英国のシンプソン婦人科医が手術をしたのは一八四七年、華岡青洲より三十七年から四十二年後のことなのである。この成功は、それまで極めて消極姑息《こそく》なものにすぎなかった外治医術に一大飛躍を遂げさせ、いわゆる「大手術」と称する外科の新領域を開拓した。

だが青洲の妹は、その輝かしい成功を待たずに血瘤で喉《のど》を押し潰され、声もなく一月前に世を去っていた。享年《きようねん》四十二歳。華岡家の墓地内に建てられた墓石には涼倒妙空信女と刻まれている。それから百五十年の後に、兄が国際外科学会に認められ、アメリカ合衆国シカゴ市内にある「栄誉会館」に、その遺品と共に於継と加恵が協力して人体実験に身を捧《ささ》げた有様を描き出した日本画の大額が華々《はなばな》しく壁にかけられることなど、最後まで意識の冴《さ》えわたっていた小陸にも見通せなかっただろう。

乳岩手術の大成功に家の中が沸きたっている中で、ひとり加恵だけが小陸の霊前に香をたき合掌していた。人体実験で犠牲になった盲目の目から、静かにいつまでも涙が流れていた。青洲の念願していたものが遂に果されたのだ。於継の魂も小陸の魂も鎮《しず》まるだろうと思っていた。しかし、

「それは嫂さんが勝ったからやわ」

と云った小陸の声だけは、どうしても加恵の耳朶《じだ》から離れなかった。

青洲が、ようやく妻の許《もと》を訪れたのはその月末であった。

「聞いたやろ、加恵。大成功やったんやで。加恵とお母はんのおかげやね。今に日本中の医者という医者が吃驚《びっくり》しよるぞ」

夫は喜びに溢《あふ》れていて、弟子たちの前では抑制していた自慢話が妻の前では子供のように迸《ほとばし》り出た。それに噎《む》せ返りながら加恵は密《ひそ》かに愧《は》じていた。青洲が云うように自分も与《あずか》って力あったとは思えなかった。

「おめでとうさんでございます。お母はんもどないにお喜びですやろかのし」

口をついて出た言葉も小陸に非難されているようで加恵には後ろめたかった。

十五

かねて青洲《せいしゅう》のもとには短期間の修業に身を寄せるものが殖えていたが、全身麻酔術の成功は、たちまち紀州名手《なて》荘《のしょう》平山を日本全国の外科医の寄るところとしてしまった。北は津軽、南は薩摩《さつま》からはるばると青洲の家の門戸を叩《たた》いて、旅装を解く若者たちは日に月に殖えて、多いときには一年に数十人の入門者を迎え、別棟《べつむね》を建て増しても建て増しても収容しきれなくなったので、青洲は遂《つい》に近くの土地に大きな家を建てることにした。

母屋《おもや》には診療室と手術室を考え、廊下続きで家人の住居を建て、重症患者の寝室と書生部屋も大きくとった。八畳の膏薬《こうやく》製練所、四畳の薬貯蔵所、八畳の薬剤所は書生部屋と同じ棟である。女衆《おなごし》部屋、男衆《おとこし》部屋、二頭の馬を入れる厩舎《きゅうしゃ》、物置および内蔵、米蔵、薬蔵など五棟の土蔵を含めた新しい家屋は建坪二百二十余坪の堂々たる構えになった。前庭に曼陀羅華《まんだらげ》の咲き乱れる薬草畠《やくそうばたけ》があった小さな家とは、もう規模も様式もすっかり変ってしまった。最初は茅葺《かやぶ》きの予定であった屋根も途中から瓦《かわら》にしたので、出来上ったときは平山のひとびとの目には眩《まぶ》ゆいほどの見事な建築になった。それまでの華岡家代々の家は二十坪足らずの小さな貧しいものであったから、青洲の代に一躍して十倍も拡大したことになる。

木の香の匂《にお》いで息が止りそうな新しい家を、青洲は「春林軒」と名づけ、自ら筆を揮《ふる》って扁額《へんがく》*を掲げた。医学徒たちはこれを春林軒家塾と呼んだ。今でいう医科大学の研修生たちの生活がここで行われたのである。

平山が外科医の集まるところとなった以外に、いやそれ以上に、そこには全国各地の難症患者とその付添人たちが陸続として集まってきた。春林軒だけでそれらのひとびとを収容しきれるわけがないから、当然必要に応じて宿屋ができる。春林軒の表門のすぐ傍《わき》に快々堂という料理屋兼業の旅館が建ち、青洲から格別の取立てを受けて大層繁昌《はんじよう》した。春林軒ではこれを外塾と唱え、少し後にできた布袋屋《ほてい》を新塾と呼んだ。どちらにも病人だけでなく春林軒で収容しきれない書生たちを分散させていたからであろう。その他、平山あたりの農家が素人宿《しろうと》や素人下宿を兼ねるようになって、辺鄙《へんぴ》な村にすぎなかった平山が俄《にわ》かに繁殷《はんいん》*を極めるようになった。

第十代徳川治宝《はるとみ》は藩学の振興をはかって伊勢から本居宣長《もとおりのりなが》を招き、また程朱《ていしゅ》の学*を興すなど、文化政策にも力を入れた学者好きの藩主であったが、藩医の建言*を入れて新たに医学館をも創設していた。地元にあって全国にその名を鳴りひびかせている華岡青洲を、この藩主が放っておく筈《はず》はない。享和《きようわ》二年には士分に列して帯刀を許したが、そのときすでに侍医*となるようにすすめたのを青洲は拒んでいた。自分の本分は庶民大衆の病気治療にあるので公職に就いてはそれが行えないというのがその理由である。華佗《かだ》が曹操《そうそう》の請《こい》*を固辞した故事に倣《なら》ったともいえようか。

しかし乳岩摘出《にゆうがん》に成功した青洲は藩主の面目にかけても抱えなければならなかった。文化十年、紀伊藩は彼を「小普請《こぶしん》*医師格」として任用した。だが青洲の懇請にもとづいて住居は従来のまま平山にいて差しつかえないという許可を与えている。文政二年には「小普請御医師」、天保四年には遂に「本道兼勤*」を命じられている。藩からこのような侍医の待遇を与えられた医者は必ず剃髪《ていはつ》*したものであるのに、青洲はそれを好まずあくまで古医方家らしく総髪を押し通した。こうした前例破りが許されたのには、青洲の性格もさることながら、当時彼の実力がいかに勝《すぐ》れていたかを物語るといえよう。

華岡流医術の威名が全国に轟《とどろ》きわたる頃《ころ》、蘭学《らんがく》の草分けである杉田《すぎた》鷧斎《いさい》（玄白）から謙虚に教えを乞《こ》いたい旨《むね》を記した手紙も届くようになった。青洲の盛名を知る上で、なかなかのものだと思われるから次にあげておく。

　未《いま》だ貴意を得ず候《そうら》へども一書呈上致し候。時分柄《じぶんがら》薄暑と相成り候へども弥々《いよいよ》御安清にならせられ候由《よし》、目出たく存じ奉《たてまつ》り候。

　然《しか》れば老兄の御高名は江戸表まで相聞え御頼もしく存じ罷《まか》り在《あ》り候。旧年以来かねて御随身《ずいじん》*中に罷り在り候由の宮川順達と申す加賀の書生出府致し委《くわ》しき御噂《おうわさ》承知致し候。数年御治療のところ被労御精心の段ほぼ承りさてさて御頼もしく存じ奉り候。

　老拙儀も二三世外治を以《もっ》て旦那《だんな》家に仕へ罷り在り候こと故何卒《ゆえなにとぞ》生民の為《た》め少しにても治業の慮《はか》らひ工夫致し候て益にも相成りたく年来心懸け候へども差したる義も

これなく、犬馬の老*積り最早当年八旬《じゅん》*に及び空《むな》しく朽ち果て申すべく残念に存じ奉り候。

さりながら老驥《ろうき》伏櫪《ふくれき》*の志は相止み申さず折節不審の義有之《これあり》候へども本科は格別同業の者には海内《かいだい》*に承り及び候者もこれなく候。幸ひ老兄の御噂承り及び候へどもこれまで好縁も御座なく罷り在り候。順達罷り越し候て御手術御煉熟《れんじゅく》*の段申し聞けさてさてと感心致し候ことに御座候。

江戸表は御聞及びもこれあり候哉《や》。手を下し候はば宜《よろ》しかるべしと存じ候病人も間々*これあり候へども比々《ひひ》*白面貴价《きかい》の公子*のみにて痛苦を忍び候ものこれ無く拙業とは存じながらその術施し難《がた》く打過ぎ候ことばかり多くこれあり候て遺憾少なからず候。

さりながら以来不審の義もこれ有り候はば御文通にてなりとも御相談申したく候。拙者は老衰に及び候へども倅《せがれ》どもの為めにも御座候間彼等《かれら》より申し上げ候ことも御座あるべく候。御許容なし置かれ下さるべく候。

順達より書面差上げ候様承り候間卒忽《そっこつ》*ながら申し上げ候。以来御知己の内へ加へられ置き下さるべく頼み奉り候。恐惶謹言《きょうこうきんげん》*。

五月四日　　杉田玄白

翼花押

華岡随賢《ずいけん》様人々御中

文中に見られるようにこれは杉田玄白八十歳のときのもので、名宛《なあて》の青洲は五十三歳であった。年少後進の田舎の一開業医に、老大家が示した礼儀と敬意には読むものを逆に敬服させる学者の人格がある。青洲が大切に蔵《しま》いこんで家宝とした理由も頷《うなず》けるというものだ。

こうした盛運の華岡家には、かつて小さな家にあったとき直道が於継《おつぎ》を娶《めと》ったときの物語が伝えられたように、また新たな物語が生れ育っていた。それは青洲の母と妻の献身が春林軒今日の隆昌《りゆうしよう》の礎《いしずえ》を築いたという物語である。今は家塾の執事となって運営に尽力している下村良庵《しもむらりようあん》と妹背《いもせ》米次郎《よねじろう》の二人が、折にふれては熱心にこの話を繰返していた。また華岡青洲自身も淡路島《あわじしま》から浄瑠璃《じようるり》語《かた》りを招いて加恵を慰めるなど、心を砕いて妻に尽しながら、そのかみの於継と加恵にいかに助けられたかを呟《つぶや》き洩《も》らした。

加恵はこの話が繰返されることをまったく好まなかった。しかしひとびとの目にはそれは謙譲の美徳としかうつらなかったようである。もともと寡黙《かもく》であった加恵は、一層無口になって人前に出たがらず、離れ家の中でひっそりと暮したが、しかし加恵の意志に反して、盲目はこの美談のために完璧《かんぺき》な演技を果していた。

文政十二年十二月八日、瞼《まぶた》と唇《くちびる》を固く閉じたまま加恵は逝《い》った。六十八歳であった。多くの門弟たちや村びとが集まって盛大な葬礼が営まれた。春林軒に縁のあるひとびとは誰《だれ》でも、この比類ない賢妻を手厚く送りたいと願った。菖蒲池の前にある華岡家の墓地の中で、加恵の墓石は於継の墓を背後にして、於継のものより一まわり以上も大きい。女の墓のこの違いは、そのまま家運の差を示すとも云えるだろうか。於継の蓮浄院智貞信尼《れんじょういんちていしんに》の墓石の前に立ちはだかっている加恵の墓には、蓮光院法屋妙薫大姉《れんこういんほうおくみょうくんだいし》と刻まれている。

しかしこの二人の女たちの墓石を二つ重ねて倍にしても及ばないのは、それから六年後に歿《ぼっ》した華岡青洲の墓である。三重の台石の上に立ち、見事な笠石《かさいし》*を頂いた墓の高さは全部で六尺もあって、華岡家の墓地の中で文字《もじ》通り一頭抜きんでている。青石の正面には天聴聖哲直幸居士、東側面には華岡随賢名震字《なしんあざな》伯行号青洲先生、西側面には天保六年乙未《きのとひつじ》十月二十日歿得生七十有六と、それぞれ深く刻まれてある。この墓の真正面に立つと、すぐ後に順次に並んでいる加恵の墓石も、於継の墓石も視界から消えてしまう。それほど大きい。

注解

ページ

五 ＊伊都《いと》郡丁之町《ぐんちょうのまち》　現・和歌山県伊都郡かつらぎ町丁ノ町。大和街道に面した、古くから開けた地で、高野山領官省符荘下方《かんしょうふしょうしもかた》に属していた。

＊上那賀郡名手《かみなかぐんなて》　現・和歌山県那賀郡《ながぐん》名手町。紀ノ川中流に位置する。「名手荘《なてのしょう》」は平安期から見える荘園名で、紀ノ川の北岸に位置し、現在の那賀町・粉河《こかわ》町の辺り。

＊紀ノ川　奈良・三重県境の大台ヶ原に源を発し、奈良県の中央部・和歌山県の北部を西へ流れ、紀伊水道に注ぐ全長一三六キロメートルの川で、吉野川（奈良県）の下流。

＊村邑《そんゆう》　むら。村里。邑は、村よりも大きいもの。

六 ＊宝暦《ほうれき》　ほうりゃくとも。桃園《ももぞの》・後桜町《ごさくらまち》天皇朝の年号。一七五一年一〇月二七日より一七六四年六月一日まで。江戸幕府では九代将軍・家重より一〇代将軍・家治の初期に至る時代に当たる。

＊家格　家がら。家の格式。

＊藍屋《あいや》　藍染屋のこと。藍染は藍（植物のアイからとった染料）で染めることで、それを業とする者。紺屋《こうや》。

＊大風呂敷《おおぶろしき》　誇大に言いまくること。大言壮語。実行不能のような大計画を立てることを

もいう。

七 *見ておいなあえ　紀州地方の方言で、見ておきなさいなの意。

八 *地士頭《じざむらいがしら》　地士（地侍）は、江戸時代、地方在住の武士および農民の士分に取り立てられた者で、土着の武士。郷士。ここはその重立った者。

*大庄屋《おおじょうや》　江戸時代、郡代・代官の指揮下にあって十数カ村の庄屋（一村の長。領主の命により村民の中から選ばれ、納税の監督・農耕指導・人事支配をつかさどった）を支配した村役人で、帯刀を許された。大総代。大肝煎《おおきもいり》。

*本陣　江戸時代、宿駅で貴人（大名・幕府役人・勅使等）の宿所とした公認の旅舎。

*祝儀《しゅうぎ》　ここでは祝いの儀式。不祝儀は凶事、不吉な出来事。

*稽古事《けいこごと》　ここでは遊芸などを習うこと。

九 *家督《かとく》　相続すべき家の跡目《あとめ》。

一〇 *鯉《こい》の洗い　洗いは、コイ・タイ・スズキなどの刺身を冷水や氷水でさらし、身を縮ませた料理。

*薬籠《やくろう》　薬を入れる箱。

*乱杭《らんぐい》　地上や川底などに不揃《ふぞろ》いに打ち込んだ障害物の杭のことで、ここではそのように生えた歯並びの悪い歯のこと。乱杭歯。

*紋服　紋をつけた礼装用の和服。紋つき。

一一 *深更　よふけ。深夜。

二
*蘭方《らんぽう》　オランダから伝わった医術で、わが国では近代医術の代名詞的に呼ばれた。
*南蛮流　沢野忠庵《さわのちゅうあん》を祖とし、その門人・西吉兵衛によって大成された外科医術の一派。
*山脇東洋《やまわきとうよう》　江戸中期の医家、本名は清水尚徳（一七〇五～一七六二）。実験医学の先駆者で、死刑囚を解剖し、その結果を「蔵志」に記述、旧説の誤謬《ごびゅう》を指摘したことでも知られる。
*刑死体　刑に処せられた罪人の死体。
*杉田玄白《すぎたげんぱく》　江戸後期の蘭医（一七三三～一八一七）。代々小浜藩に仕えた外科医の出。前野良沢《まえのりょうたく》らと「解体新書」を訳述したことは有名。他に「蘭学事始《らんがくことはじめ》」「形影夜話《けいえいやわ》」「野叟《やそう》独語《どくご》」などの著がある。
*漢方　西洋医学に対して、古く中国から伝わりわが国で発達した医術。皇漢医学。
*造化の妙　造化は、宇宙・天地を創造した神で、その造物主のつくったすぐれたもの。
三
*公儀　朝廷・幕府。
*麒麟児《きりんじ》　聖人が世に出る前兆とされた古代中国の想像上の神秘な動物である「麒麟」から、才知・技芸にすぐれ、将来の大成が期待される少年をいう。
*奇瑞《きずい》　不思議なめでたいしるし。
一三
*通性　共通して持っている性質。
一四
*極楽往生　ここでは安らかに死ぬこと。
*弔問客　人の死に際し、その遺族を訪ねて死者をいたみ、くやみを述べる客。

一五 *来迎之図《らいごうのず》 来迎は、弥陀《みだ》を念ずる者の臨終の時に、西方浄土の阿弥陀如来が衆生《しゅじょう》を救うために諸菩薩を従えて人間世界へ下降し、極楽に迎え導くこと。その様を描いた平安中期からの浄土信仰に基づく仏画。

*菩薩《ぼさつ》 仏となるために無上の悟りを求め、衆生を救おうとする大乗《だいじょう》（広く人間の全般的救済・成仏を説く）の修行者。仏の次の位置にある。

*光背 後光（御光）。仏像の背後にある光明を表わす飾り。

一七 *浅葱《あさぎ》色 緑がかった薄いあい色。また水色。

*門礼《もんれい》 葬儀の際、死者の血縁の代表（ふつうは男性）数人が並び、会葬者に感謝の礼をすること。

*小太刀 小型の太刀。太刀に添えて腰におびる刀。

*愁傷 肉親や近い者の死などの不幸な出来事に出会って嘆き悲しむこと。

一八 *書見の間 書物を読む部屋。書斎。

*絽刺《ろざ》し 袋物に多く用いられる日本刺繡《ししゅう》の一種で、絽織の布地に刺繡したもの。

*才覚しよう 才覚は、事をうまくこなす頭のす早い働き、才知、算段。ここは於継《おつぎ》の来訪の目的を知るためにうまく工夫しようとすること。

一九 *名代《みようだい》 人の代わりをすること。代理。代理人。

*丹《に》生《う》谷《だに》 現・和歌山県那賀郡粉河町。名手川中流の西側に位置する上丹《かみに》生谷《うのや》と、名手川西側の段丘地帯に位置する下丹《しもに》生谷《うのや》とに分かれている。

一九 *五条　現・奈良県五条市。大台ヶ原から流れてきた吉野川はこの地から紀ノ川と名前を変える。

*出入り　定まった家に出入りする職人などを出入り者というが、ここは相手を見下げたいい方。

二〇 *気脈を通じて　ここでは互いの意志を通じ合うこと。

二一 *仁術　儒教の根本理念である仁徳を行なう方法。ここでは病人に仁徳を施す医術をさす。

二二 *陋屋《ろうおく》　せまくきたない家。

二三 *納庄屋《おさめしょうや》　世話役。村長、庄屋のこと。肝煎《きもいり》も同じ。

*提燈《ちょうちん》に釣鐘《つりがね》の喩《たと》え　軽い提燈と重い釣鐘では、形は似ていてもまったく比較にならないことから、価値・身分などのつり合いが取れないことのたとえ。

*女房《にょうぼう》づれ　「づれ」は接尾語で、そのようなつまらないものという卑《いや》しめ・謙遜《けんそん》の気持ちを表わし、ここは、女房ごときつまらない者にまでということを強めた表現。

二六 *紀州至上のひと　「至上」はこの上ない、最上の意。紀州で最高の地位にある人物。

*夜伽《よとぎ》　女が男の意に従って共に寝ること。

*側室　身分の高い人の妾《めかけ》。そばめ。

*南朝の名門楠《くすのき》氏の一族　楠（楠木とも）氏は河内《かわち》・和泉《いずみ》の土豪・悪党で、正成《まさしげ》（一二九四～一三三六）に至ってあらわれる。正成は南北朝時代の武将、後醍醐《ごだいご》天皇の勅を奉じて武功を立て、建武政権下で摂津《せっつ》・河内・和泉の守護となった。楠氏は橘諸兄《たちばなのもろえ》

(敏達《びだつ》天皇四世の孫を父とする奈良時代の廷臣）の末裔《まつえい》という。

二七　＊造作《ぞうさく》　家の中に天井・床の間・戸《と》棚《だな》その他の建具や装飾を造り付けること。ぞうさは別の語。

二九　＊薬石　さまざまな薬や治療法。

三〇　＊家霊　代々その家にとりついている霊。

三三　＊仮祝言《かりしゅうげん》　祝言は婚礼、結婚式。正式の結婚式を挙行する前に、一まず挙げておくもの。

＊懸念《けねん》　気がかり。心配。

三四　＊ゆきひら　行平（雪平とも）鍋《なべ》の略。重湯・うどんなどを煮るのに用いる薄い褐色《かっしょく》の陶製の平鍋で、在原《ありわら》行平が須磨《すま》で塩を焼かせた故事に因《ちな》んでこの名がある。

＊深窓　家の奥深い部屋の窓の意から、身分の高い家の娘などが家の中で大事に育てられること。

三五　＊綿帽子　真綿を広げて作った女性の防寒用かぶりもので、後、婚礼に花嫁がかぶって前頭部を覆《おお》うものとなった。

＊写本　手書きで書き写した本。

三六　＊蒼古《そうこ》とした　古びてさびた趣のある様子。

三七　＊屠蘇《とそ》　邪気を払い、長寿延命に効があるとされ、正月の祝い酒として飲むもので、山《さん》椒《しょう》・桔梗《ききょう》・肉桂《にっけい》などを調合した漢方薬の屠蘇散を浸した酒。

三八　＊敏達《びだつ》天皇　第三〇代天皇。欽明《きんめい》天皇の第二皇子で、名は訳語《おさ》田渟《だのぬ》中倉太珠敷尊《なくらふとたましきのみこと》。

三八 *河内国《かわちのくに》石川郡中野村華岡　現・大阪府富田林《とんだばやし》市中野町。石川左岸に位置する。
*小姑《こじゅうと》　配偶者の姉妹。
三九 *十八番「歌舞伎十八番」の語から、その人の最も得意とする物事。おはこ。
*総髪　江戸時代、男性が髪全体をのばしてうしろで束ね結んだもの。医師の髪型でもあった。ざんぎり。
*胡麻塩頭《ごましおあたま》　白髪と黒髪がいりまじった頭髪。
*木綿縞《もめんじま》　模様を織り出した綿布。
*五三《ごさん》の桐《きり》　紋所の名。三枚の桐の葉の上に花を五つ、その左右に花を三つずつ描いた形。
四〇 *堆肥《たいひ》　草・藁《わら》・糞尿《ふんにょう》などを積んで腐熟させた肥料。つみごえ。
*初一念　最初から強く決心した念願。初志。
*高野《こうや》　和歌山県にある山で、八一六年僧空海の創建した真言宗の総本山・金剛峯寺《こんごうぶじ》がある。高野山。
四一 *取上婆《とりあげばば》　産婦を助けて子を生ませることを業とする女性。産婆《さんば》。助産婦。
*葛城山《かつらぎさん》　大阪府と和歌山県の県境にある八五七メートルの山で、雨乞行事で知られる。
*仕方話《しかたばなし》　手まね・身振りを入れて話すこと。
四二 *おひらき　「去る」「帰る」の忌詞《いみことば》で、宴会などの終わること。
*納戸《なんど》　衣類・器財をしまっておく部屋で、ここでは寝室に用いられている。
*如才ない　「じょさいな」のなまった形で、気がきく、あいそがよい。

四五 *天変地異　天地の間に起こった異変。

四六 *枕《まくら》の木箱　底を箱のように造った枕。はこまくら。

四七 *百味箪笥《ひゃくみだんす》　漢方医が薬剤を入れて置くのに用いた小さな抽斗《ひきだし》のたくさんある箪笥。薬味箪笥。

*筬《おさ》　はた織り道具の一つで、縦糸の位置を整えて、横糸を織り込むのに用いるもの。

四八 *絹物　絹織物、絹製の衣服で、上等の品。

*泉州堺《さかい》　泉州は和泉のことで、現・大阪府堺市。大阪湾東岸に面し、大和川河口を隔てて大阪市に隣接。室町時代より商人の自治による都市を形成、明《みん》との貿易港として繁栄した。

*梭《ひ》　機《はた》の道具で、木または金属製の舟形に造り、横糸を巻いた管を入れ、縦糸の中をくぐらせる。

四九 *趣向　かんがえ。くふう。

五一 *反芻《はんすう》　牛・鹿などの消化作用から、物事を繰り返し味わうこと。

五二 *瘍科《ようか》　瘍はガンなど悪性のできもので、それを専攻する医学の分野。

*腫物《できもの》　皮膚にできる瘡《かさ》類の総称。はれもの。

五三 *疫病《えきびょう》　流行病。えやみ。

五四 *糠袋《ぬかぶくろ》　米の糠を入れた袋で、現在の浴用石鹸《せっけん》の用途と同じく、入浴の際、これで皮膚を洗った。

五四 ＊立居振舞　起居と動作。からだのこなし。
五五 ＊紅絹裂《もみぎれ》　紅絹は、婦人和服の裏地用の紅《べに》で無地に染めた薄い絹地。ここはその切れはしを廃物利用的に用いたもの。
＊手甲《てっこう》　布や革で作った、手の甲を覆《おお》うもの。武具もあるが、ここは労働用。
五六 ＊朝鮮朝顔　ナス科の一年草で、熱帯アジア原産の有毒植物。激しい麻酔毒を含み、鎮痙《ちんけい》薬・止痛薬として用いる。別名まんだらげ。作品冒頭にある「気違い茄子《なすび》」も同じもの。
五八 ＊濡縁《ぬれえん》　雨戸などの外にある縁。雨に濡れるにまかせることから、この名がある。
五九 ＊三和土《たたき》　石灰や赤土などに苦汁《にがり》をまぜ、土間などを塗ってたたき固めたもの。たたきつちの略。
六〇 ＊さいな　相手の言葉を受けて、ほんとうに、いかにもなどの意を表わす。「さればいな」の略。
＊土竈《どべっつい》　つちかまど。
六一 ＊霖雨《りんう》　長雨。
＊すぐき　酸茎。「かぶ」の酸味あるつけもの。
六二 ＊逢《お》う瀬《せ》　恋人どうしの逢《あ》う機会。
＊月代《さかやき》　男性が前額から頭の中央にかけて髪を剃《そ》り落としたことをいうが、ここはその部分。
六三 ＊カスパル　カスパル・シャンベルゲン（生没年不詳）江戸中期のドイツ人蘭館医。慶安

二年オランダ使節員に従い約一〇カ月江戸に滞在し、医学を教授した。いわゆる加須波留流外科の始祖。

六四 ＊古方医学派　晋《しん》・唐の医方に拠《よ》る医家の説を主唱する医家のことで、古方家と呼び、わが国では後藤艮山《こんざん》・山脇東洋らをその代表者とする。

＊吉益南涯《よしますなんがい》　寛延三〜文化一〇（一七五〇〜一八一三）江戸後期の医学者。東洞の長男。京・大阪で開業した。著述に「医範」「気血水薬徴」など。

＊根本義　学問の根本となる原理、その趣旨。

＊大所《たいしょ》　大きな立場、視野。

＊活物窮理　活物は生きて活動しているもの、窮理は物事の道理・法則をきわめること。

六五 ＊理非　道理に適《かな》っていることと適っていないこと。是非。

＊薬餌《やくじ》　薬と食物。くすり。

＊鍼灸《しんきゅう》　医療の一種で、針（鍼）を患部に刺し込み、神経を刺激して治療する鍼と、もぐさを皮膚の一定の場所に置いて焼き、その熱で治療する灸（やいと）との漢方療法。

＊大喜利《おおぎり》　芝居・寄席《よせ》などで一日の最後に演ずる出しもの。そこから転じて物事の最後。

＊本懐　本望。本意。

六六 ＊華佗《かだ》　三国の魏《ぎ》の名医。魏の武帝の侍医に請われたが断わり、殺されたという。

＊岩《がん》　ガン（癌）。表皮・粘膜・腺組織《せんそしき》に生ずる悪性の腫物《はれもの》。

＊乳岩　乳腺に生ずる癌腫。

六六 ＊麻《ま》沸《ふっ》湯　大麻を入れて煮えたぎらせた湯。麻酔薬代わりに用いられた。
六七 ＊成仏《じょうぶつ》　死んで仏となること。
六八 ＊行李　竹・杞柳《きりゅう》を編んで作った旅行用の荷物入れ。
＊剪刀《せんとう》　外科医学で用いるはさみの称。
＊披《は》針《ばり》　刃針とも。外科用の小さい刃物で、諸刃の先のとがっているもの。ランセット。
＊烙鉄《らくてつ》　焼きごて。「すぽいと」から「烙鉄」まではいずれも外科用医療器具。
＊嚢腫《のうしゅ》　膿腫。うみを持ったはれもの。
六九 ＊天竺織《てんじくおり》　天竺木綿。厚手の木綿地で足袋裏などに用いる。
七〇 ＊盛大《せいだい》　極めて盛んな様子。関西地方では相手の行為について「せっせと」の意の副詞としてよく用いる。
七一 ＊送辞　親しい者の旅立ちを送る漢詩文。
＊匕《ひ》剤《ざい》　匕はさじ。ここは医家の投薬をいう。
七三 ＊しんき　心が晴れ晴れせず、いらいらすること。
＊まっと　今少し、もっと。方言的言い方。
＊敷居が高かった　不義理や不面目などのために訪問し難《がた》くなることをいう。ここはユーモラスな表現。
七四 ＊盃事《さかずきごと》　夫婦・親子・兄弟・主従等の誓いをするために杯をとりかわして飲むこと。
＊絆《きずな》　夫婦・肉親などの離れ難い強い情愛。

七五 *大言壮語　自分の力以上に誇大に言い散らすこと。
七六 *野辺送り　葬送。とむらい。
七七 *端片《はぎれ》　はんぱな大きさの布切れ。
七八 *時代のついた　年代を経て古びたこと。
*蒔絵《まきえ》　漆《うるし》で絵模様を描き、これに金・銀などの金属粉や顔料を蒔いて磨いた漆工美術。
*黄楊《つげ》　柘植《つげ》。ツゲ科の常緑小喬木《きょうぼく》で、材は印判・櫛《くし》などに用いる。ほんつげ。
*筋立て　髪の毛筋を正すのに用いる櫛。毛筋立て。毛筋棒。
八〇 *臈《ろう》たけて　若い女の年たけて美しさと人柄《ひとがら》の重みが増すように、上品で、品のある様子。
八三 *屹出《きっしゅつ》　そびえ立つようにつき出ているさま。
*烏頭《うず》　とりかぶと（キンポウゲ科の多年草）の根茎。猛毒で鎮痛薬として用いられる。
八五 *漏斗《ろうと》状　漏斗はじょうごのこと。
*み　竹で編んだ、穀類をあおり上げて殻《から》やゴミをより分ける道具。
八七 *前戯　肉体の愛撫《あいぶ》など性行為の前段階としてのもの。
*しじま　静寂。
八九 *間箪笥《けんだんす》　一間《いっけん》の箪笥。着物を折らずにしまうには長持に入れるか、この一間箪笥に入れた。
*紬《つむぎ》　紬糸（くずの繭《まゆ》または真綿から手でつむいで作った糸）で織った絹布。
*素袷《すあわせ》　襦袢《じゅばん》を着ないで素《す》肌《はだ》の上に袷を着ること。

八九 *茜染《あかねぞめ》　茜（アカネ科の多年生蔓草《つるくさ》）の根の汁で染めたもの。

九一 *薬種屋　薬の材料やきぐすりを商う者。

*手代　商店の使用人で、番頭と丁稚《でっち》の中間にある者。

*有卦《うけ》に入《い》って　よい運にめぐり合って。

*銀百八十匁《もんめ》　銀は銀目（江戸時代の銀貨の秤量《ひょうりょう》単位）の高を記す際に数字の上に冠する語で、匁は小判一両の六〇分の一に当たる。米一石《いっこく》の価格が銀百八十匁というのは飢《き》饉《きん》による暴騰《ぼうとう》で、平時の四倍程度に当たった。

九二 *御寮《ごりょん》さん　御寮は御寮人の略。他人の娘または人妻の敬称。

*肉瘤《にくりゅう》　身体にできるこぶ。

*骨瘤　骨にできる瘤《こぶ》状の出っぱりのうちで、腫瘍《しゅよう》ではないものをいう。

*骨膜　骨の表面を覆う白色の結合組織の膜で、中に神経・血管が走っている。

九三 *追従《ついしょう》　こびへつらうこと。

*川芎《せんきゅう》　セリ科の多年草で、根茎は煎じて頭痛・強壮・鎮静薬とする。

*当帰《とうき》　セリ科の多年草。乾した根を煎じて鎮静・通経薬とするために栽培する。

*白芷《びゃくし》　ヨロイグサ。乾燥した根は生薬として感冒《かんぼう》に用い、また、止血薬になる。

九四 *紺屋《こうや》の白袴《しろばかま》　紺屋が染めていない白い袴をはいていることから、専門の領域のことながら自分の場合については顧りみる余裕のないことをいう。医者の不養生も同じたとえ。

九五 *天明の凶荒　天明年間（一七八一〜一七八九）の諸国の大飢饉をいう。低温・冷雨の天候不順、洪水、浅間山大噴火の降灰などが続き、その規模は全国にわたったが、八二・八三年の奥羽《おうう》の飢饉が最も甚《はなは》しく、二十万人に及ぶ餓死者・疫死者が出たという。

九五 *疫癘《えきれい》　疫病。

九七 *口を糊《のり》する　やっと暮らしを立てる、貧しいさま。

一〇七 *高野山橋本　現・和歌山県橋本市。高野山の麓《ふもと》の地にある。

*御《ご》っさん　上流階級の大家の奥様。

*荘内《しょうない》　領土(荘園)の内。

一一八 *麻生津《あおず》　現・和歌山県那賀郡那賀町。飯盛山北麓から紀ノ川中流左岸に位置する。正しくは、おうず。

*伊都郡待乳《いとぐんまっち》　現・和歌山県橋本市真土《まつち》。紀ノ川上流の北岸に位置する。中世の頃《ころ》は伊都郡隅田《すだ》北荘のうち。

一二一 *永富独嘯庵《どくしょうあん》　享保一七〜明和三(一七三二〜一七六六)江戸中期の医家。山脇東洋に古医方を学び、長崎で吉雄耕牛に蘭医方を学ぶ。「嚢語」「吐方考」等の著述がある。

一二二 *紅毛　オランダまたはオランダ人をさす。

一二六 *藍甕《あいがめ》　染料のアイを貯えておく甕。藍壺。

*生霊《いきりょう》　生きているものの霊。

一二八 *救恤《きゅうじゅつ》　貧者や被災者などを救い、これに恵みを与えること。救済。

*知行　江戸時代、一万石以下の武士の領地をいう。

一二九　＊轍《てつ》　前人のした跡。轍を踏むは、前人のした通りにすること。

＊海口郡の黒江　現・和歌山県海南市黒江。船尾山の東斜面に位置する。和歌山藩領御蔵所。古くより木具・折敷の製造が盛んで黒江塗漆器の産地。

一三〇　＊一顰一笑《いっぴんいっしょう》　一度顔をしかめ、一度笑う。顔色。きげん。

一四一　＊ふのり　布海苔。紅藻類フノリ科の一群。うち「ふくろふのり」の煮汁は糊《のり》用となる。

＊美男葛《びなんかずら》　モクレン科の常緑蔓《つる》性灌木《かんぼく》で、茎を水に浸して得るねばりけのある液は髪油の代用とした。

一四三　＊甘草《かんぞう》　マメ科の多年草で、根も地下茎も共に薬用とする。

一四六　＊疎外《そがい》　うとんじ遠ざけること。

一五三　＊逆鉋《さかがんな》　木目とは逆の向きに鉋をかけると引っかかってうまく木が削れないように、引っかかって事のうまく運ばないこと。ここではゾッとして鳥肌《とりはだ》の立つような状態の意。

一五八　＊調製　ととのえつくること。ここでは目的に合わせて薬草を調合し、薬湯をこしらえることの意。

一五九　＊くけて　くけるは、縫い目をあらわさないように縫うこと。

＊細腰　女の細やかな腰。

一六一　＊使いだて　他人に命じて作業をさせる。

一六三　＊鬼気　恐ろしくものすごい気配。

一六四　＊大御《おおご》っさん　大家の大奥様。前出の「御っさん」に対する語。

一七〇 ＊亀鑑《かがみ》 行為の基準となる手本。模範。
一七四 ＊宿業《しゅくごう》 仏教でいう、現世で報いを受ける、前世での善悪の行為。因果な関係。すくごう。
一七七 ＊即効性 薬のききめがすぐに現われる性質。
一八五 ＊女衆《おなごし》 下男の意の男衆《おとこし》に対して、下女。女中。
一九八 ＊噯気《おくび》 口から出る、胃にたまったガス。げっぷ。
＊法名 死者に与えられる名前。戒名。
二〇〇 ＊帯刀 江戸時代、武士以外の者が地位や功労などによって刀を帯びるのを許され、武士待遇を与えられたこと。
二〇一 ＊湯治 温泉に入浴して、病気の治療に努めること。
二〇三 ＊暴牛《こってうし》 ことというし（特牛）の転で、多くの荷を負う強健な牡牛をさすが、広く牡牛一般の意にも用いられる。ここでは字義通り特に強健な牡牛の意。
二〇六 ＊耳朶《じだ》 みみたぶ。みみ。
二〇九 ＊業病《ごうびょう》 悪い病気。現世または前世におかした悪徳の報いで罹病《りびょう》するという。
二一一 ＊根治 根本から完全に治癒《ちゆ》すること。
二一五 ＊晴れ 華やかな晴れがましいこと。ここでは晴れやかな挙式後の負の面に力点を置いた小陸の言であることに注意。
二一八 ＊結句 結局のところ。最後には。
二一九 ＊宇智郡《うちぐん》五条 現・奈良県五条市。宇智は大和朝廷の狩猟場であった頃よりの古名。

三〇 ＊結紮《けっさつ》　外科医術で血管や輸卵管などを結びくくること。

三四 ＊扁額《へんがく》　門戸や室内にかかげる、横額。

＊繁殷《はんいん》　賑《にぎ》わい。

三五 ＊程朱《ていしゅ》の学　程朱は、宋《そう》の儒学者程顥《ていこう》・程頤《ていい》の兄弟と朱熹《しゅき》のことで、朱子学をいう。

＊建言　政府など上級にある者に意見を具申すること。建白。

＊侍医　典薬寮に属し、天皇の診療に当たった医師。

＊曹操《そうそう》の請《こい》　三国時代・魏王・曹操が名医・華陀に対し侍医になるよう要請した故事。

＊小普請《こぶしん》　江戸幕府の制度で旗本・御家人の禄高《ろくだか》三千石以下二百石以上の非役の者をいう。ここでは青洲がそれに準ずる格を医師として与えられたことの意。

＊本道兼勤　本道は内科の漢方医のこと。ここは開業医のままで侍医（正しくは、大名に勤めた御典医）を兼務したことの意か。

三六 ＊剃髪《ていはつ》　髪を剃ること。

＊御随身《ずいじん》中　随身は寺院に寄宿して寺務を補助したり、住職の身のまわりの世話をする者をいう。

三七 ＊犬馬の老　犬や馬が年をとるように、無能のままに年のみ老いるの意で、自分の年齢の謙称に用いる。犬馬の年。犬馬の齢《よわい》。

＊八旬《じゅん》　旬は十年を一期とした称で、八十年。

＊老驥《ろうき》伏櫪《ふくれき》　老驥（老騏）は年老いた名馬。名馬が年老いて馬小屋に空しく寝ていること

から、有能な人が不遇のまま年齢を重ねることのたとえ。

二三七　＊海内《かいだい》　四海の内。天下。国の中。

＊御煉熟《れんじゆく》　煉熟は熟練に同じ。よく慣れて上手なこと。

＊間々　ときどき。たまに。

＊比々《ひひ》　どれもこれも。

＊白面貴价《きかい》の公子　なま白い顔の身分の高い貴公子。

＊卒忽《そっこつ》ながら　にわかなことではありますがの意で、無礼を詫《わ》びる手紙ことば。

＊恐惶謹言《きょうこうきんげん》　手紙の終わりに書く相手に対する敬意を表わす語。

二三九　＊笠石《かさいし》　墓や石垣または煉瓦《れんが》塀《べい》などの上部にかぶせる石。かむり石。

吉田永宏

解説

和歌森太郎

やさしくいたわれば、相手の方ではかえって一人前以下に軽侮されたような思いで、余計なことをしてくれるなとひがむ。親切に接すれば、何か下心が別にあるのだろうと邪推する。さりとて、何も構わずにいると、私を無視していると怨《うら》む。姑《しゅうとめ》と嫁との関係の、このやりきれない心理は、古今にわたって変らないもののようだ。

双方が相応にかしこい女であればあるだけ、この妙な腹のさぐりあいが邪魔して、二人の関係はいよいよ厄介《やっかい》になる。この厄介な女心の葛藤《かっとう》を、進歩的な外科医術の開拓に執念を燃やす華岡青洲《はなおかせいしゅう》の母と妻という特異な間柄《あいだがら》において、おそろしいばかりに鮮《あざ》やかにつきだした。そこにこの作品の主軸がある。青洲の麻酔薬研究に人体実験を要するとなると、進んで身を供し、生命を預けることを、二人は競う。姑は嫁が居るが故《ゆえ》に、嫁は姑が居るが故に、積極的に犠牲たろうとする。嫁に至《いた》ってはついに盲目となってしまう。眼《め》をおおいたくもなるような凄絶《せいぜつ》なヤマ場を中心に、この作品は、有吉文学の中でも、とりわけ引締って、息をつかせる隙《すき》をもたない。女の心情描写の達者さは、その道では随一の作家のものとして当然だが、特殊な家での、異常な事態を通して語るので殊更《ことさら》ひきつけるのである。

しかしその特異な装いのうちに潜んでいる、嫁・姑関係が、初めに言ったように、やはり一般的なものであることを痛感させるが故に、一層感動させる。

かようにこの作品の迫力は、時と所とを超《こ》えても強いものがあるけれども、これが江戸時代後期の、封建制解体過程における紀州の話であるということが、ひときわ私の注意をひく。

華岡青洲の妻加恵《かえ》の実家は紀ノ川の北、上那賀郡《かみなかぐん》名手荘《てのしょう》の市場村にあった。その名の通り、古くから商人も住んでいたし、青洲が健在だったころには、大晦日《おおみそか》にここに市が立ち、近郷近在のものが多く集まったものだという。名手荘内では、いわば目抜きの集落だった。そこに、地士《じざむらい》の旧家として、妹背《いもせ》佐左衛門、妹背佐治兵衛、妹背四《し》郎五郎《ろごろう》という名家があり、さらに西本喜十郎とよぶ地士の家もあった。妹背家の佐治兵衛（作品での佐次兵衛）が、加恵の生家である。中世には畠山《はたけやま》家に仕えた豪族だったという。

いっぽう青洲の母であり、絶世の美女として近郷に鳴り響き、加恵にも早くから讃《さん》嘆《たん》されていた於《お》継《つぎ》の家はどうか。

市場村の東に穴伏《あなぶし》村という村があり、その東ぞいに穴伏川が流れて、南の紀ノ川にそそぐ。この川を境に東方が伊都《いと》郡《ぐん》である。郡が違うように、中世の荘園もこの川で分れ、西の市場村が名手荘、川の東側は官省符荘《かんしょうふしょう》とよばれていた。官省符荘が上・中・下に分れたうちの下官省符荘内に、丁野町《ちょうのまち》（作品では丁之町）がある。市場村にくらべると、この村の方が、農業生産高も高く、いかにもゆとりのある村ではあった。

この丁野町村の松本新次郎という家が於継の生家だが、この村には松本弥三右衛門という地士の家があった。その分れの家が新次郎の家で、藍染紺屋《あいぞめこんや》をも兼ねていた地主であり、一応の素封家《そほうか》であった。ただ、市場村の妹背家のような、見識張って旧家を鼻にかけるようなことはなかった。

於継や加恵の実家にくらべて、華岡家はどうか。この作品にある平山というところは、加恵の家がある市場村よりも北方馬宿《うまやど》村の西野垣内にある。遠い先祖は、隅田荘《すみだのしょう》の豪族との伝えもあるが、青洲の祖父の代から専業医師として一種の塾をなしていた。そこを春林軒とよんだ。だいたいこの時代まで医師というものにたいする村人、また為政者の見る眼は、近代の一般人が見るのとはだいぶ違っていた。士・農・工・商の埒《らち》の外にある、特殊な技芸者のように見ていて、僧、山伏《やまぶし》、医師という系列が考えられ、一目《いちもく》置かれはするが、身分が高いわけでもなく、何よりも資産をもたない点で、軽んじられるところもあった。あくまでも土地所有に立脚して構築された封建社会の秩序から見れば、土地に縁のない医師にたいしては、今の世に子どもの父兄が、学校の先生にたいし、表に敬意を表しつつ、内心その貧乏たらしいくらしをさげすむのに似たところがあった。

そういう医師の中で、華岡家の春林軒はともかくも塾として門生をいれていたのだから、まあまあの方であった。これは江戸後期に一般に学問への関心が高まりつつあったおかげで、その百年も前とくらべれば、この地方の地士格の家のものが医師を見る眼も、だいぶ開明化していたとは思う。

それにしてもまだ、娘が「お医者の家に嫁入る」ことに首をかしげる豪農の親たちだった。そうした世間の中で、華岡家自体は少しも卑屈でない。青洲の父の直道《なおみち》にいたっては、卑屈どころか、自信があり過ぎて大風呂敷《おおぶろしき》をひろげるところもあったほどの性質である。容姿もさっぱりさえない。しかし、於継の、他の医者にはむずかしかった皮膚病を全治させた交換条件で、彼女を自分の嫁に迎える。当時の村人からみれば、厚かましい限りだったろう。この小説の書きだしは、このことである。

その於継が完全に華岡「家」のものになりきってしまった。ぶ男の直道に配するに、

都に遊学中というのに。

ていた妹背家の娘加恵を、息子の嫁にと申しいれてくる。しかも息子が在郷せず、京

美貌《びぼう》の於継。この取合せの中での華岡家における於継の挙措進退に、強い関心を寄せ

ていた妹背家の娘加恵を、息子の嫁にと申しいれてくる。しかも息子が在郷せず、京都に遊学中というのに。

於継の華岡「家」に徹しているさまは、まことにあっぱれなほどである。加恵の父佐治（次）兵衛に申しいれに来て、彼をあ然とさせる。「何を血迷って出入りの貧乏医者と盃《さかずき》を交わし縁戚《えんせき》固めをしなければならないというのか」と、作者は、この地士家の主人の自尊心を傷つけられた思いを叙《の》べている。ここで、何で加恵にそんな医者に嫁がせて苦労させられるかという思いにはさせないところが、有吉さんの「歴史文学者」としてのたしかさを示している。父親同士で「盃を交わし縁戚固めをしなければならないというのか」と、家長を媒介にする家相互の結びつきを、結婚について考えられていた、封建の世の根性をよく描いているのだ。於継と加恵との、内心の葛藤を追跡する上の素地として、これはたいせつな布石である。

於継は、医師の嫁には、農家よりも士分の家の娘が最も適当と強弁してひき下がらない。「母として華岡家に果せる役目」は、息子の医業に貢献する嫁を得ることだという。彼女には息子＝華岡家なのである。

加恵の父親からすれば、於継は「気がふれたか」にみえた女である。しかし母は

「あのお方で家格は上げられたものと見えんことはございません」という。そのうえ、加恵当人を直観的に見こんでいる点も考えねばと思っている。何よりも、加恵自身が於継に「前から焦《こ》がれてなさる」との乳母お民《たみ》の証言がある。

幼な心に於継の美しさに見とれた、その於継に寄せた潜在観念は、この作品の最後まで大きな響きをもっていると読むべきである。加恵は於継にまさに「焦がれた」。それは慕い寄る気持であるとともに、張り合う、負けまいとする心が、かさなるものなのである。姑がりっぱな美女であればあるだけ、意を強めて姑に劣らじと身を挺《てい》していく。そういう嫁になるほか、於継と張り合う場はないのである。

こうした加恵の意思と、「大家には代々の家霊がどの部屋の中にも薄暗く蠢《うごめ》いていて、他家から嫁にきた女には息苦しい」と思う母の娘にたいする思いやりとが結んで、加恵は華岡家の人となる。しばらくは婿《むこ》殿不在の家の人となる。

加恵の於継との争いが、実家ではおぼえのなかった機織《はたおり》仕事に積極的となるところから始まっているのは、おもしろい趣巧である。機織の出来不出来は、当時世間並みの嫁入り条件となっていた。その資格試験を、姑の於継は自分からは課そうとしない。加恵は進んで小姑《こじゅうと》たちとまじってこれを行う。そして高点で合格の腕を示した。

こうして好調に華岡「家」の人としてすべりだした加恵の心が、夫たる雲平《うんぺい》（青洲）の帰宅から以後締めつけられて来る。於継と雲平、そして小姑らとがこの家の軸であり、加恵はそこから疎外されるのだ。姑に張り合う気持は、ここで姑に寄せる憎悪《ぞう》感《お》に転進していった。父の直道が死んで未亡人となっても、於継の敵対性は一向に退かない。

夫雲平が京から帰郷したのが天明五年（一七八五）の二十五歳のとき。すでに曼陀《まんだ》羅《ら》華《げ》（ちょうせんあさがお）を主薬とする麻酔剤のとりことなっていた彼である。そして乳岩《にゆうがん》（癌《がん》）の手術の可能性を模索するだけの毎日が、夫の生活であった。天明の凶荒飢饉《ききん》に、前より医業が繁昌《はんじよう》していた華岡家でも食生活は苦しい。折柄妊娠した加恵に、於継は嫁に十分食べよという。それは「嫁のあなたが食べると思えば心苦しのも当りまえやけれども、生れてくるのは華岡の家のもんや」という前提に立ってのこと。加恵はやはり華岡家のよそ者なのだ。この時代ではきわめて自然な考え方なのだが、加恵の姑への敵意は燃えた。実家で産をすべく帰った加恵の心境は、実の母の世界とも隔っていた。実母には於継はよい姑として印象されている。

加恵は孤独だ。小姑の於勝《おかつ》が乳岩でたおれてからの姑の狂ったような振舞いは、いよいよ加恵との断絶を決定的にさせる。雲平の麻酔剤づくりの実験は、ついに人体実験の段階に入る。そこから、加恵・於継の争いはすさまじいものになっていく。その過程の息づまる描写がもちろんこの作品のヤマ場だが、雲平つまり青洲の冷徹な研究執念と対照的に、二人の女の心にはあやしい鬼気のひそみをおぼえる。

明らかに雲平以外に眼中にない於継が、殊更《ことさら》よい姑に見えるようないたわりを加恵にすることはかえって、嫁としての反感をつのらせる。その勝ち気をたかぶらせ、果ては盲目になって、麻酔剤「通仙散《つうせんさん》」を成就させる。あととりの息子も産んだ。もう一人の小姑小陸《こりく》は、青洲の乳岩手術成功をもって「嫂《あね》さんが勝った」と言った。加恵は、やはり華岡「家」の夫人となって、眼の不自由をいとわぬ平らかな晩年を過したのである。

世界最初の全身麻酔による乳癌手術成功者として、漢方から蘭医術への過渡期に新時代を開いた青洲の名は不滅だが、封建社会における「家」と女とのつながり方にも当時、深刻な迷いが生じていたことを、この作品は余すところなく書きつくした点に、不朽の価値をもつ。昭和四十一年に女流文学賞を受けたことは、当然すぎると言ってよい。

（昭和四十五年一月、歴史学者）

この作品は昭和四十二年二月新潮社より刊行された。

華《はな》岡《おか》青《せい》洲《しゆう》の妻《つま》

新潮文庫　あ－5－6

昭和四十五年一月三十日　発行
平成二十二年六月二十五日　六十九刷改版
令和　七　年九月二十日　八　十　刷

著　者　有《あり》吉《よし》佐《さ》和《わ》子《こ》

発行者　佐藤隆信

発行所　株式会社　新潮社

郵便番号　一六二―八七一一
東京都新宿区矢来町七一
電話　編集部(〇三)三二六六―五四四〇
　　　読者係(〇三)三二六六―五一一一
https://www.shinchosha.co.jp

価格はカバーに表示してあります。

乱丁・落丁本は、ご面倒ですが小社読者係宛ご送付ください。送料小社負担にてお取替えいたします。

印刷・株式会社精興社　製本・株式会社大進堂

ISBN978-4-10-113206-8 C0193